Keyboard

Die große Schule

Volks-, Wander- und Weihnachtslieder

Portable Keyboard

Comprehensive Method

Folk Songs, Nursery Rhymes and Christmas Carols

ISBN 3-625-17010-8
www.naumann-goebel.de

Inhalt / Contents

Frühjahr / Springtime

I LIKE THE FLOWERS

Traditional
Arr.: Susanne Sonntag

PETERSILIE, SUPPENKRAUT

Traditional
Arr.: Peter Herde

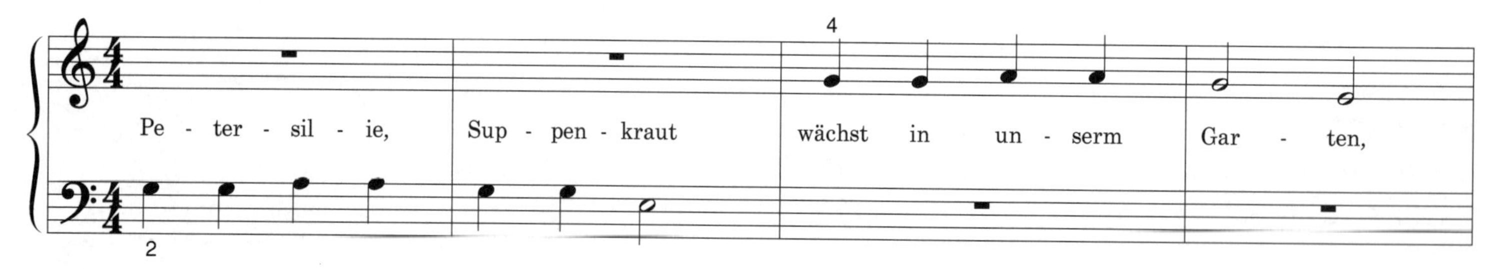

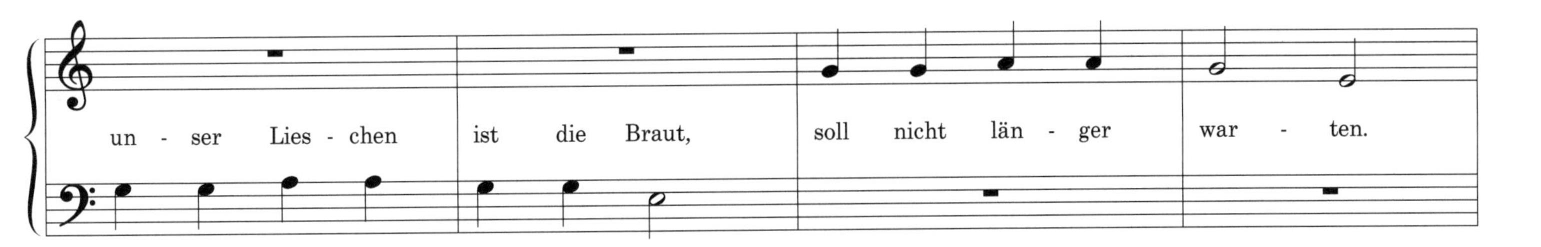

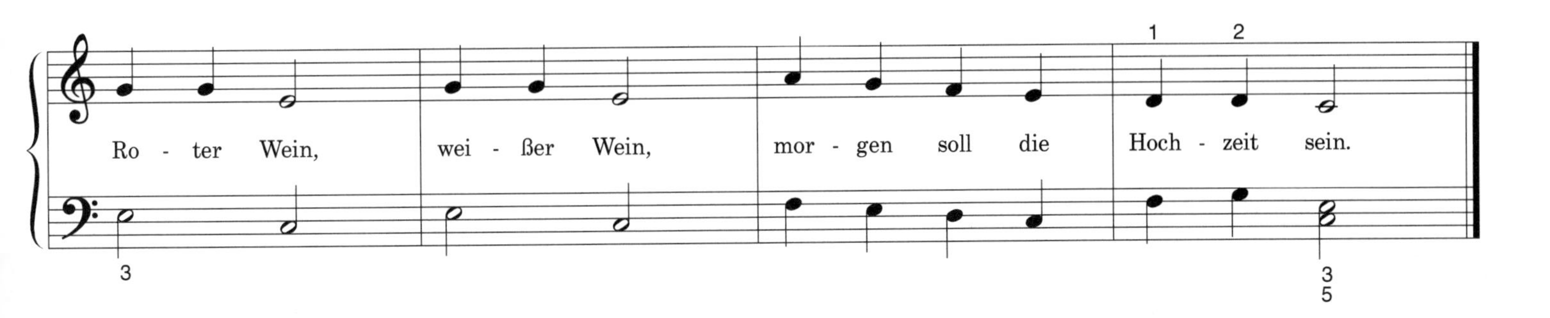

KUCKUCK, KUCKUCK RUFT'S AUS DEM WALD

M: Traditional
T: A. H. Hoffmann v. Fallersleben
Arr.: Peter Herde

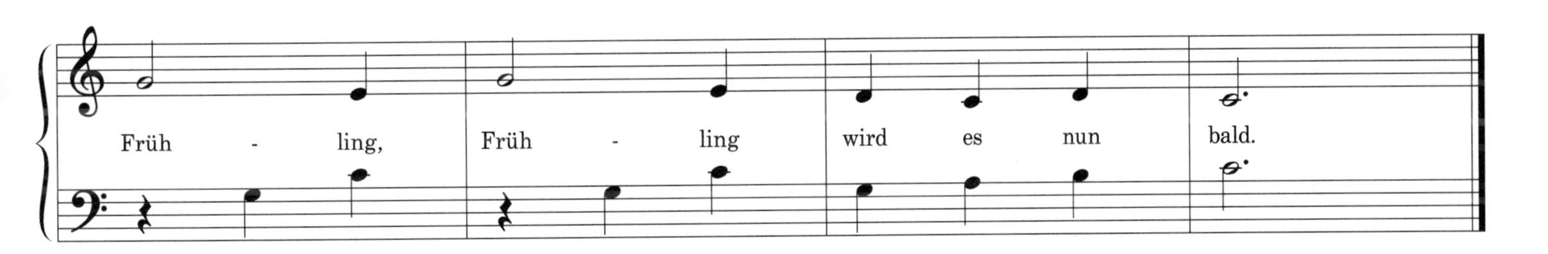

2. Kuckuck, Kuckuck, lässt nicht sein Schrei'n :
„Kommt in die Felder, Wiesen und Wälder!
Frühling, Frühling, stelle dich ein!"

3. Kuckuck, Kuckuck, trefflicher Held!
Was du gesungen, ist dir gelungen!
Winter, Winter, räume das Feld!

DER WINTER IST VERGANGEN

Traditional
Arr.: Peter Herde

2. Ade, mein Allerliebste,
ade, ihr Blümlein fein.
Ade, schön' Rosenblume,
es muss geschieden sein.
Bis dass ich wiederkomme,
sollst du die Liebste sein.
Das Herz in meinem Leibe
das ist ja allzeit dein.

EH' NOCH DER LENZ BEGINNT

M: Adolf Wendt
T: Abraham Emanuel Fröhlich
Arr.: Peter Herde

2. Noch blüht kein Veilchen blau,
noch ist der Wald so grau,
was mag das Vögelein denn so erfreu'n?

3. Wärme und heller Schein
hauchen ihm Ahnung ein:
Bald kommt mit neuem Glück Frühling zurück.

ES WAR EINE MUTTER, DIE HATTE VIER KINDER

Traditional
Peter Herde

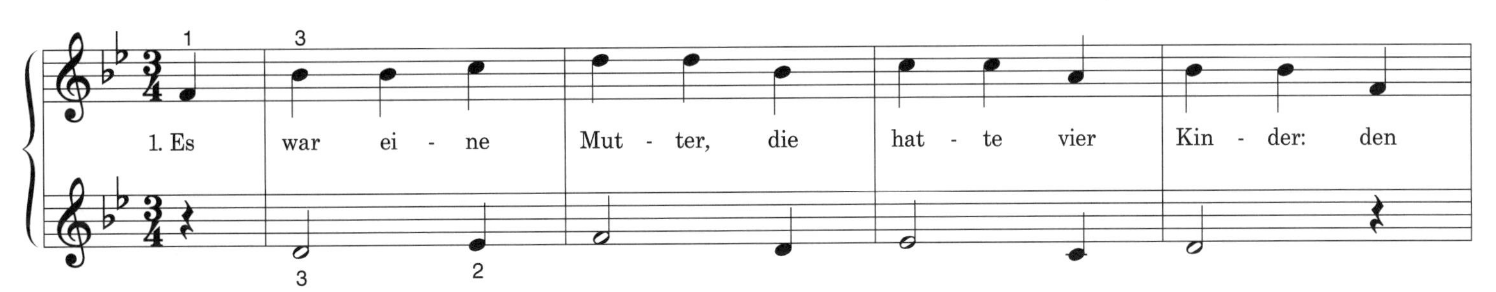

2. Der Frühling bringt Blumen,
der Sommer den Klee,
der Herbst bringt die Trauben,
der Winter den Schnee.

JETZT FÄNGT DAS SCHÖNE FRÜHJAHR AN

Traditional
Peter Herde

2. Es blühen Blümlein auf dem Feld,
sie blühen weiß, blau, rot und gelb,
es gibt nichts Schöners auf der Welt.

3. Jetzt geh‘ ich über Berg und Tal,
da hört man schon die Nachtigall
auf grüner Heid‘ und überall.

ES TÖNEN DIE LIEDER

Traditional
Peter Herde

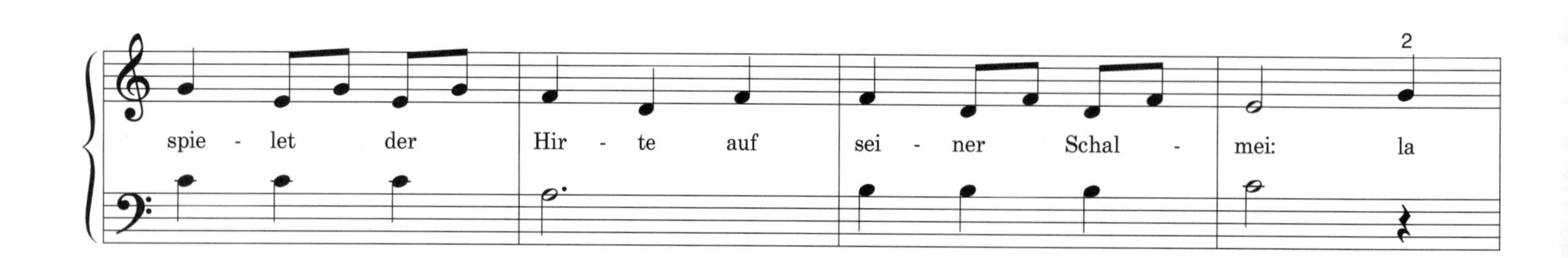

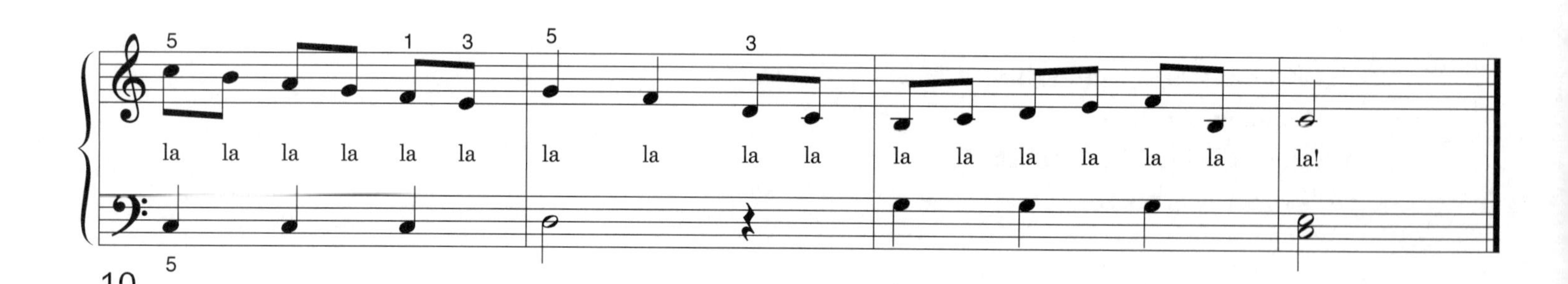

IM MÄRZEN DER BAUER

Traditional
Arr.: Peter Herde

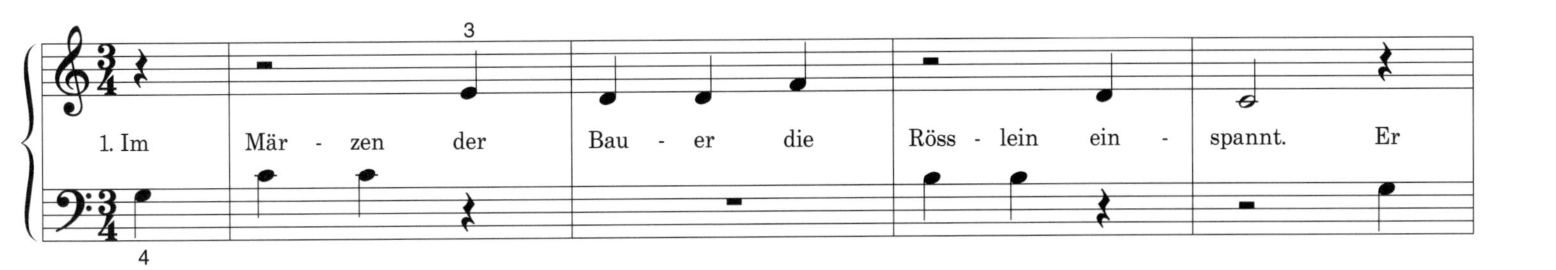

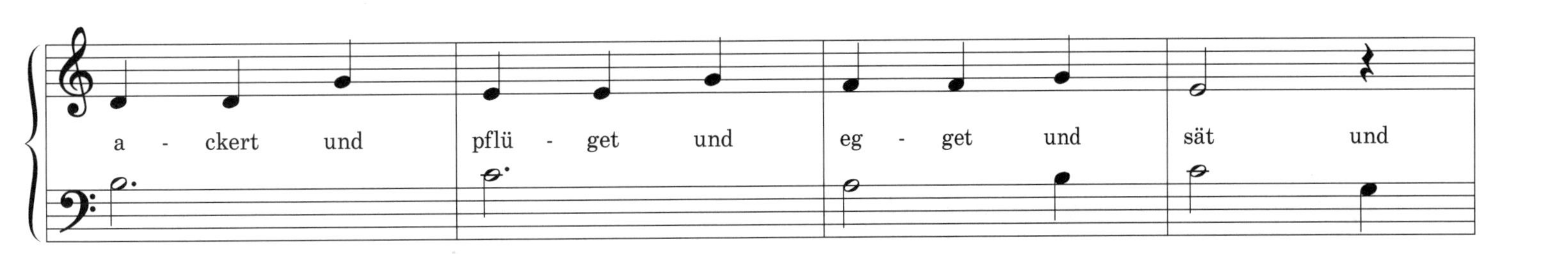

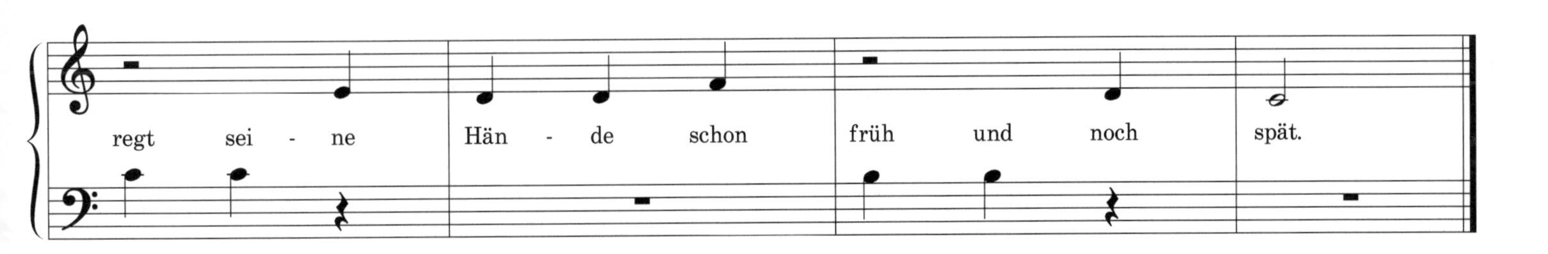

2. Die Knechte und Mägde und all sein Gesind',
das regt und bewegt sich wie er so geschwind.
Sie singen mach munteres, fröhliches Lied
und freu'n sich von Herzen, wenn alles schön blüht.

3. Und ist dann der Fühling und Sommer vorbei,
so füllet die Scheuer der Herbst wieder neu.
Und ist voll die Scheune, der Keller, das Haus,
dann gibt's auch im Winter manch fröhlichen Schmaus.

WARD EIN BLÜMLEIN MIR GESCHENKT

M: Traditional
Arr.: Peter Herde

2. Sonne, lass mein Blümlein sprießen.
Wolke, komm, es zu begießen!
Richt‘ empor dein Angesicht,
liebes Blümlein, fürcht‘ dich nicht!

3. Und ich kann es kaum erwarten.
Täglich geh‘ ich in den Garten.
Täglich frag‘ ich: „Blümlein, sprich,
Blümlein, bist du bös‘ auf mich?“

AUF DEM GRÜNEN RASEN, WO DIE VEILCHEN BLÜH‘N

M+T: Peter Herde

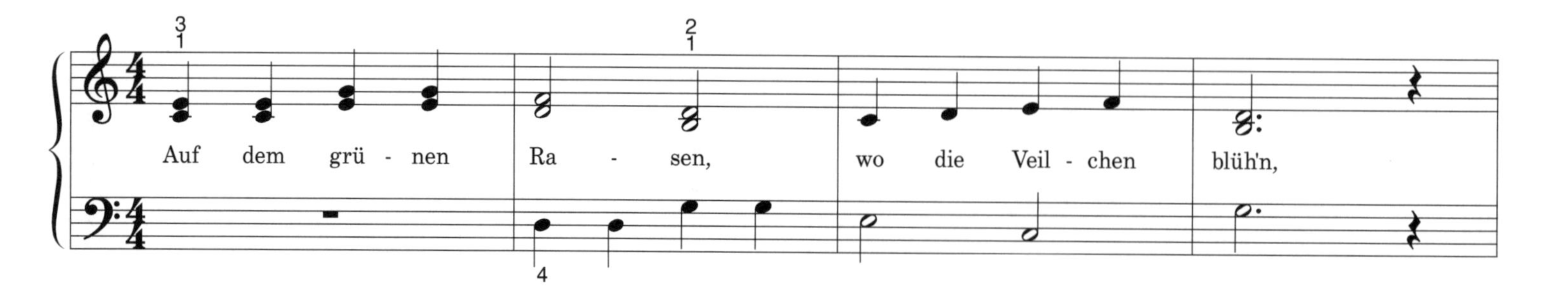

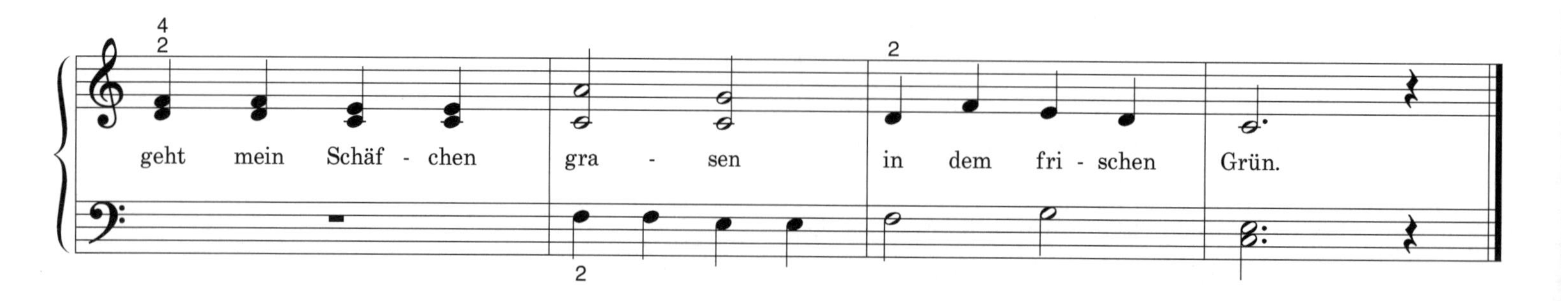

KOMM, LIEBER MAI, UND MACHE

M: W.A. Mozart
T: Christian A. Overbeck
Arr.: Peter Herde

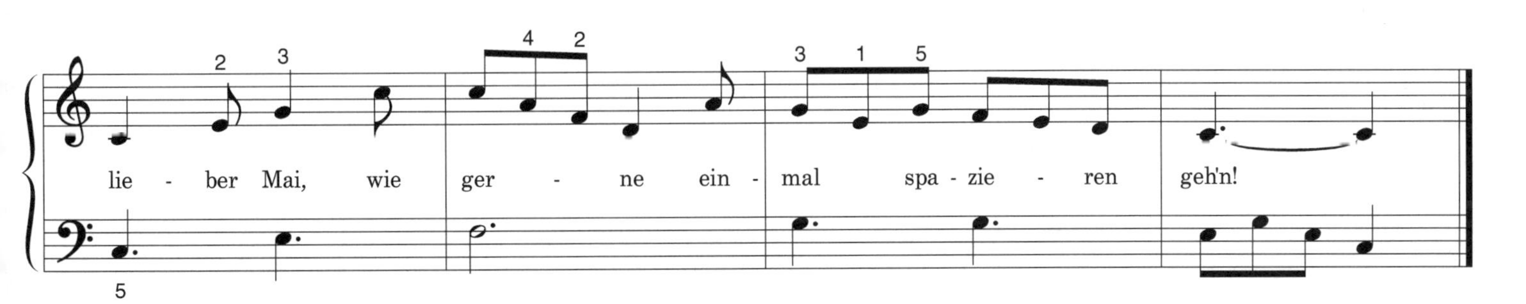

2. Ach, wenn's doch erst gelinder
und grüner draußen wär!
Komm, lieber Mai! Wir Kinder,
wir bitten gar zu sehr!
O komm' und bring' vor allen
uns viele Veilchen mit,
bring' auch viel Nachtigallen
und schöne Kuckucks mit.

ALLES NEU MACHT DER MAI

M: Traditional
T: Hermann Adam v. Kamp
Arr.: Peter Herde

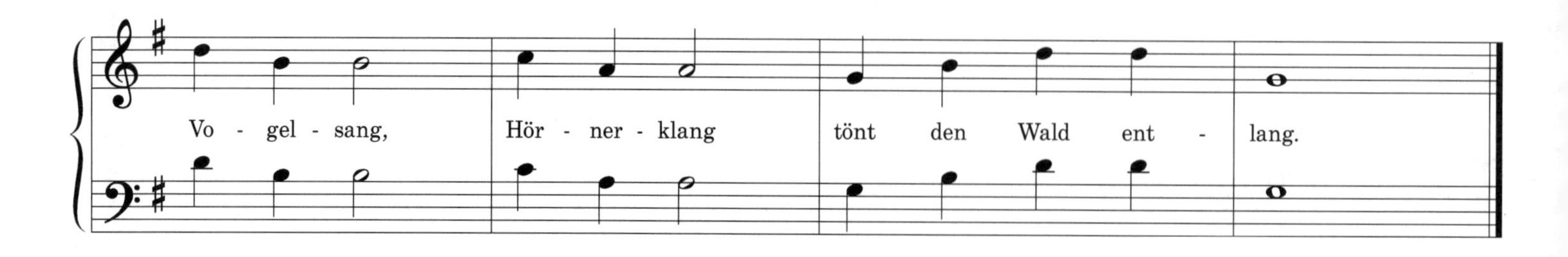

2. Wir durchziehen Saaten grün,
Haine, die ergötzend blüh'n,
Waldespracht, neu gemacht
nach des Winters Nacht.
Dort im Schatten an der Quell'
rieselnd munter silberhell
Klein und Groß ruht im Moos,
wie im weichen Schoß.

3. Hier und dort, fort und fort,
wo wir ziehen, Ort für Ort,
alles freut sich der Zeit,
die verschönt erneut.
Widerschein der Schöpfung blüht
uns erneuend im Gemüt.
Alles neu, frisch und frei macht der holde Mai.

DER MAI, DER MAI, DER LUSTIGE MAI

Traditional
Arr.: Peter Herde

2. Ich ging vor Herzliebchens Fenster steh'n,
ich redt mit falscher Zunge:
Herzlieb', steh auf und lass mich ein,
ich bringe dir den Mai von Grune!
Faldera, fifalaralala,
ich bringe dir den Mai von Grune!

3. Den Mai, den du mir bringen willst,
den lass du mir da draußen.
So setz ihn auf die weite, breite Straß',
so wird er nicht erfrieren.
Faldera, fifalaralala,
so wird er nicht erfrieren.

4. Ich setz' ihn nicht auf die weite, breite Straß',
lieber wollt' ich ihn begraben,
so soll das Grab auf ein ander' Jahr
drei Rosen und eine Lilie tragen.
Faldera, fifalaralala,
drei Rosen und eine Lilie tragen.

DER MAI IST GEKOMMEN

M: Justus W. Lyra
T: Emanuel Geibel
Arr.: Peter Herde

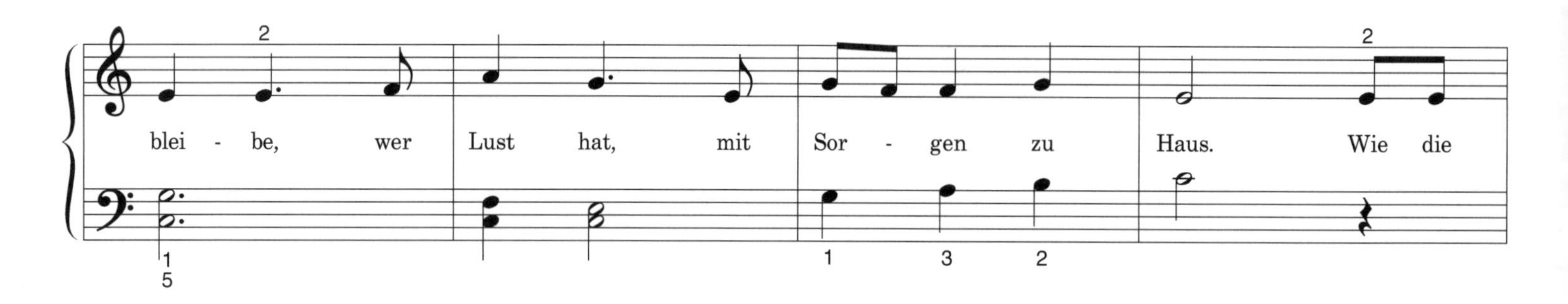

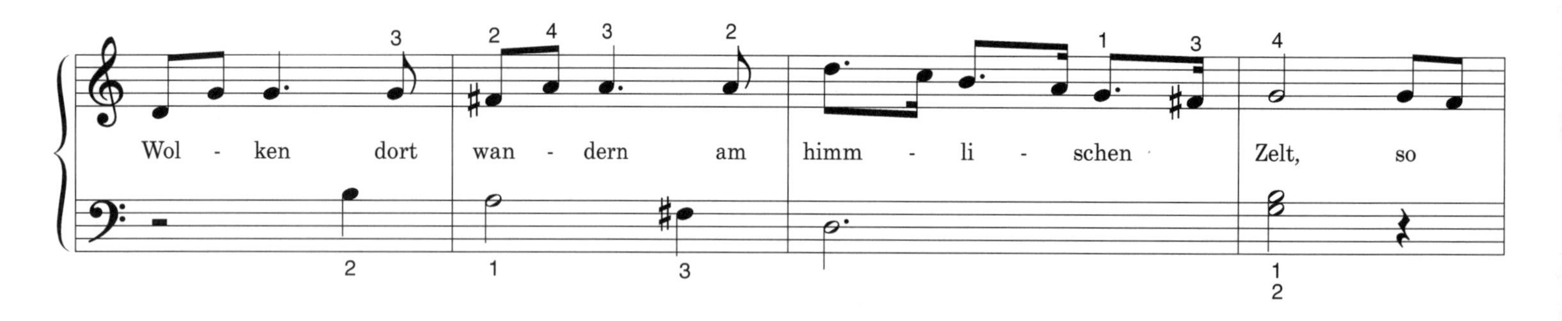

2. Herr Vater, Frau Mutter, dass Gott euch behüt'!
Wer weiß, wo in der Ferne, mein Glück mir noch blüht.
Es gibt so manche Straße, da nimmer ich marschiert;
es gibt so manchen Wein, den ich nimmer noch probiert.

3. Frisch auf drum, frisch auf im hellen Sonnenstrahl,
wohl über die Berge, wohl durch das tiefe Tal!
Die Quellen erklingen, die Bäume rauschen all' –
mein Herz ist wie 'ne Lerche und stimmet ein mit Schall.

GRÜSS GOTT, DU SCHÖNER MAIEN

Traditional
Arr.: Peter Herde

2. Die kalten Wind‘ verstummen,
der Himmel ist gar blau;
die lieben Bienlein summen
daher auf grüner Au.
O holde Lust im Maien,
da alles neu erblüht,
du kannst mir sehr erfreuen
mein Herz und mein Gemüt.

NUN WILL DER LENZ UNS GRÜSSEN

Traditional
T: August Fischer
Arr.: Peter Herde

2. Waldvöglein Lieder singen,
wie ihr sie nur begehrt.
Drum auf zum frohen Springen,
die Reis' ist Goldes wert!
Hei, unter grünen Linden,
da leuchten weiße Kleid!
Heija, nun hat uns Kinden
ein End all Wintersleid.

Sommer – Reise – Herbst Summer Time – Holiday Season – Harvest Time

THE LAST ROSE OF SUMMER

Traditional
Arr.: Susanne Sonntag

THE SHORES OF AMERIKAY

Traditional
Arr.: Peter Bach

2. It's not for the want of employment I'm going,
   it's not for the love of fame.
   That fortune bright may shine over me
   and give me glorious name.
   It's not for the want of employment I'm going
   o'er the weary and stormy sea.
   But to seek a home for my own true love,
   on the shors of Amerikay.

3. And when I'm bidding my last farewell,
the tears like rain will blind.
To think of my friends in my own native land
and the home I'm leaving behind.
But if I'm to die in a foreign land
and be buried so far away.
No fond mother's tears will be shed o'er my grave
on the shores of Amerikay.

BANTRY BAY

Traditional
Arr.: Peter Bach

SCHÖN IST DIE WELT

Traditional
Arr.: Peter Herde

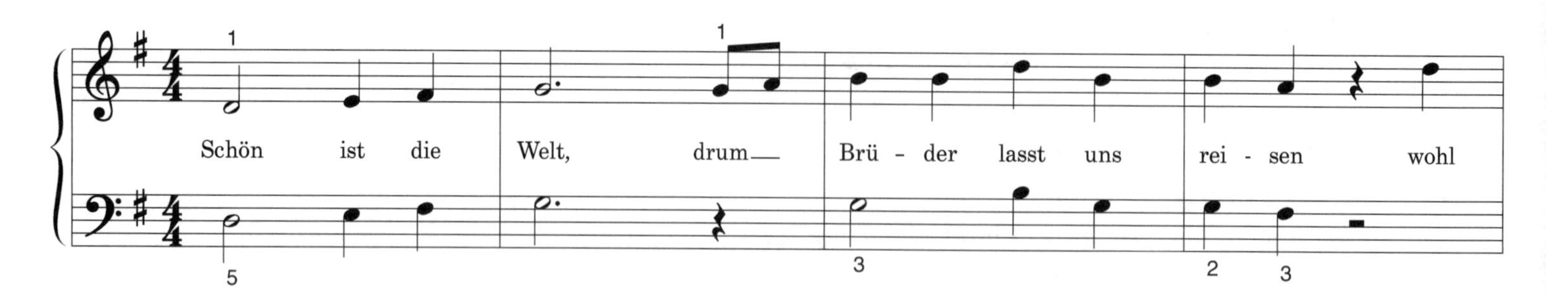

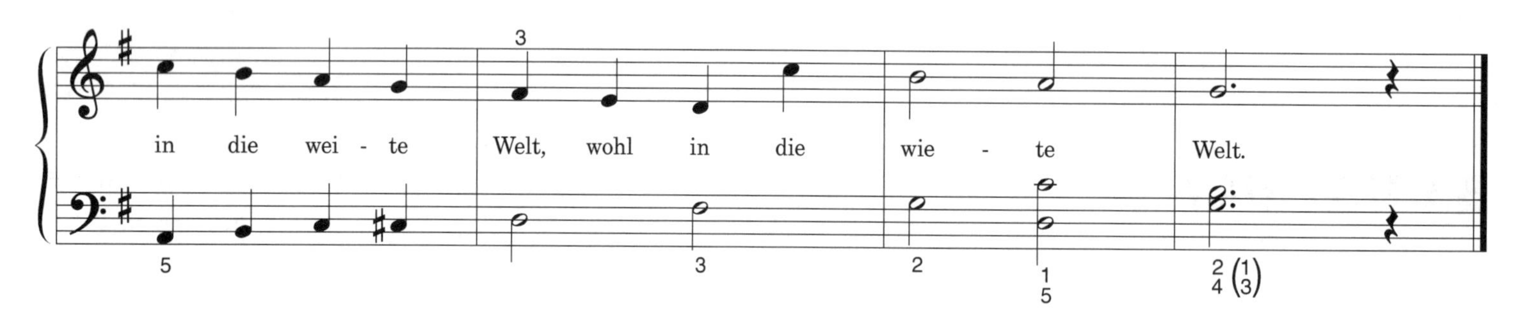

2. Wir sind nicht stolz,
   wir brauchen keine Pferde,
   die uns von dannen zieh'n, ...

3. Wir steig'n hinauf
   auf Berge und auf Hügel,
   wo uns die Sonne sticht, ...

4. Wir laben uns
   an jeder Felsenquelle,
   wo frisches Wasser fließt, ...

5. Wir reisen fort
   von einer Stadt zur andern,
   wo uns die Luft gefällt, ...

TRARIRA, DER SOMMER, DER IST DA

Traditional
Arr.: Peter Herde

2. Trarira, der Sommer, der ist da!
   Wir wollen an die Hecken und woll'n den Sommer wecken.
   Trarira, der Sommer, der ist da!

3. Trarira, der Sommer, der ist da!
   Der Sommer hat gewonnen, der Winter ist zerronnen.
   Trarira, der Sommer, der ist da!

ES REGNET, ES REGNET UND ALLES WIRD NASS

Traditional
Arr.: Peter Herde

IL ÉTAIT UN PETIT NAVIRE

Traditional
Arr.: Peter Herde

ICH GING DURCH EINEN GRASGRÜNEN WALD

Traditional
Arr.: Peter Herde

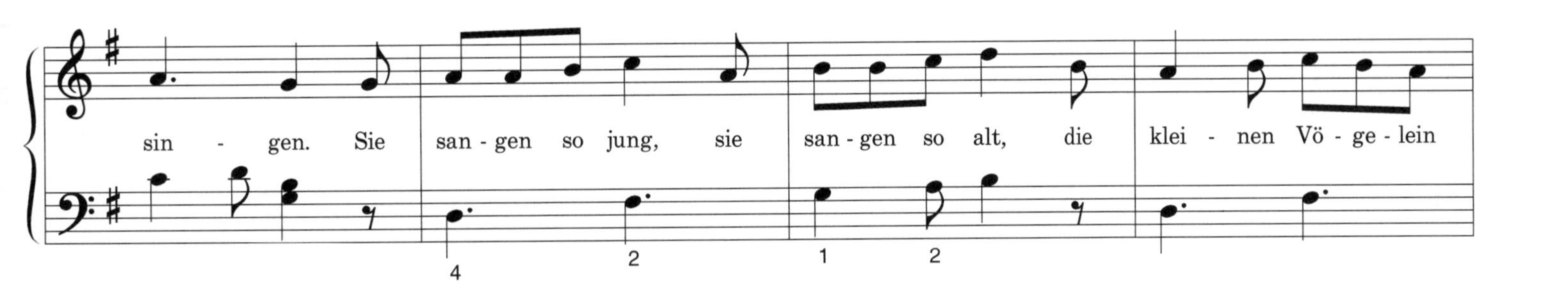

2. Stimmt an, stimmt an, Frau Nachtigall,
sing mir von meinem Feinsliebchen,
sing mir so hübsch, sing mir so fein,
zu Abend, da will ich bei ihr sein,
will schlafen in ihren Armen.

HÄNSCHEN KLEIN

Traditional
T: Franz Wiedemann
Arr.: Peter Herde

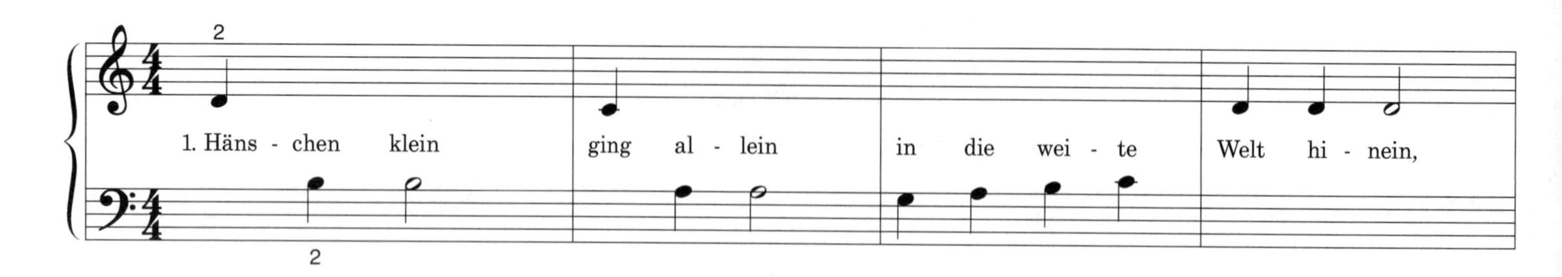

2. Sieben Jahr', trüb und klar,
Hänschen in der Fremde war.
Da besinnt sich das Kind,
eilet heim geschwind.
Doch nun ist's kein Hänschen mehr,
nein, ein großer Hans ist er.
Stirn und Hand braun gebrannt,
wird er wohl erkannt?

3. Ein, zwei, drei geh'n vorbei,
wissen nicht, wer das wohl sei.
Schwester spricht: „Welch Gesicht!",
kennt den Bruder nicht.
Kommt daher die Mutter sein,
schaut ihm kaum ins Aug' hinein,
ruft sie schon: „Hans, mein Sohn!
Grüß dich Hans, mein Sohn!"

DIE GEDANKEN SIND FREI

Traditional
Arr.: Peter Herde

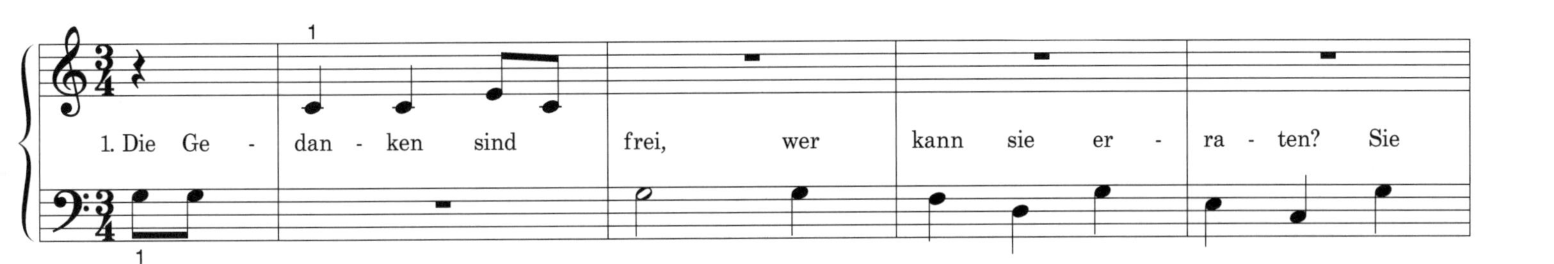

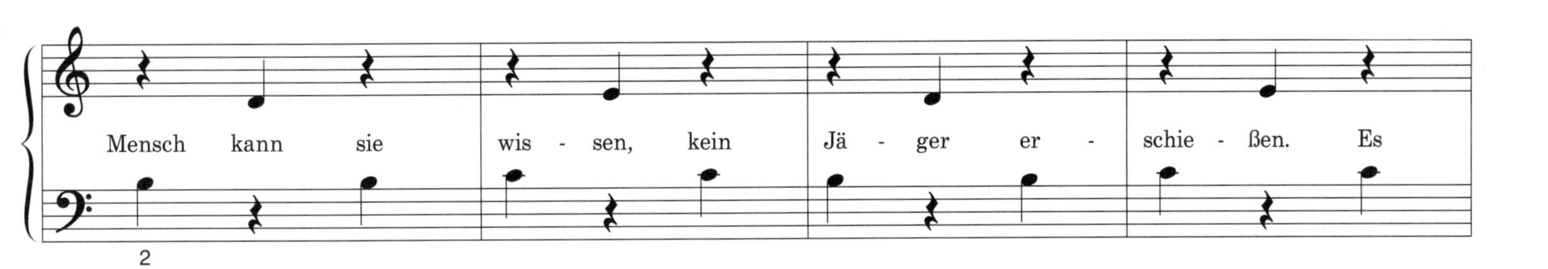

2. Ich denke, was ich will
und was mich erquicket.
Und das in der Still'
und wenn es sich schicket.
Mein Wunsch und Begehren
kann niemand mir wehren,
wer weiß, was es sei?
Die Gedanken sind frei.

AUF DU JUNGER WANDERSMANN

Traditional
Arr.: Peter Herde

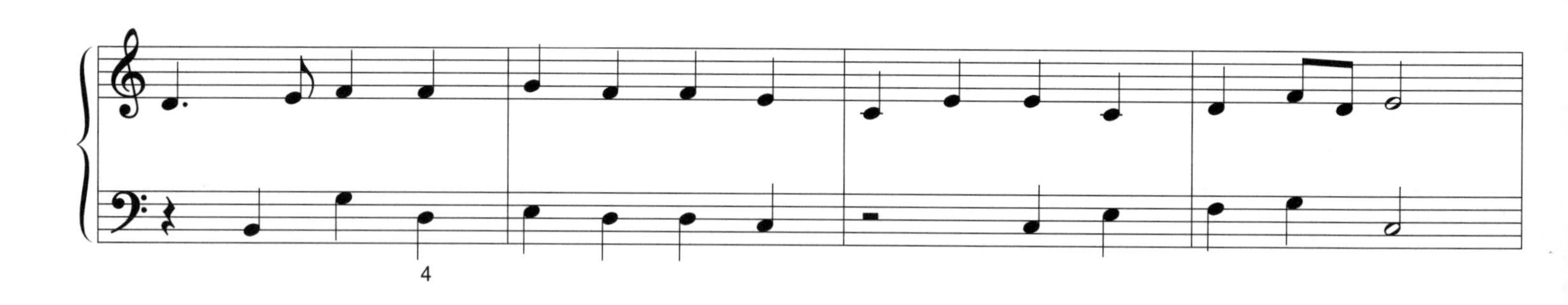

ALS ICH EINMAL REISTE IN DAS SACHSEN-WEIMARLAND

Traditional
Arr.: Peter Herde

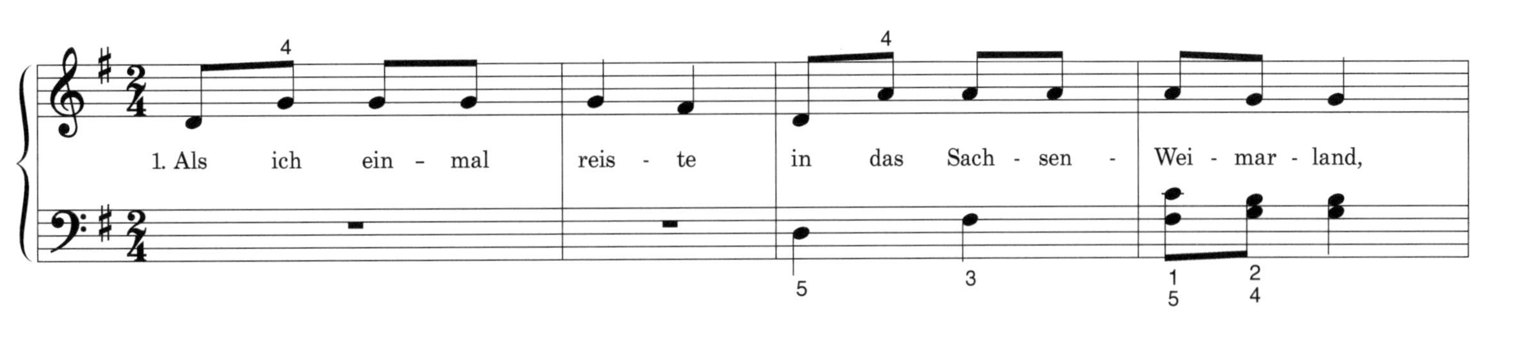

2. Zwei Jahr' bin ich 'blieben,
zog umher von Land zu Land,
was ich da getrieben,
das ist der Welt bekannt.

3. Als ich wied'rum 'kommen
in das alte Dorf hinein,
schaute meine Mutter
aus ihrem Fensterlein.

4. Und sie ging zur Küchen,
kocht' mir Nudel' und Sauerkraut,
stopft mir Rock und Höslein,
dass alles neu ausschaut.

KEIN SCHÖNER LAND IN DIESER ZEIT

M+T: Anton Wilhelm F. v. Zuccalmaglio
Arr.: Peter Herde

1. Kein schö - ner Land in die - ser Zeit als hier das uns - re weit und

2. Da haben wir so manche Stund‘
gesessen all in froher Rund‘
und taten singen, die Lieder klingen
im Eichengrund.
Und taten singen, die Lieder klingen
im Eichengrund.

AN DER SAALE HELLEM STRANDE

M: Friedrich Ernst Fesca
T: Franz Kugler
Arr.: Peter Herde

2. Zwar die Ritter sind verschwunden,
nimmer klingen Speer und Schild;
doch dem Wandersmann erscheinen
aus den altbemoosten Steinen
oft Gestalten zart und mild.

3. Droben winken schöne Augen,
freundlich lacht manch roter Mund;
Wandrer schaut wohl in die Ferne,
schaut in holder Augen Sterne,
Herz ist heiter und gesund.

4. Und der Wandrer zieht von dannen,
denn die Trennungsstunde ruft;
und er singet Abschiedslieder,
„lebe wohl", tönt ihm hernieder,
Tücher wehen in der Luft.

IM FRÜHTAU ZU BERGE

Traditional
Arr.: Peter Herde

DRUNTEN IM UNTERLAND

M: Traditional

T: Gottfried Weigle
Arr.: Peter Herde

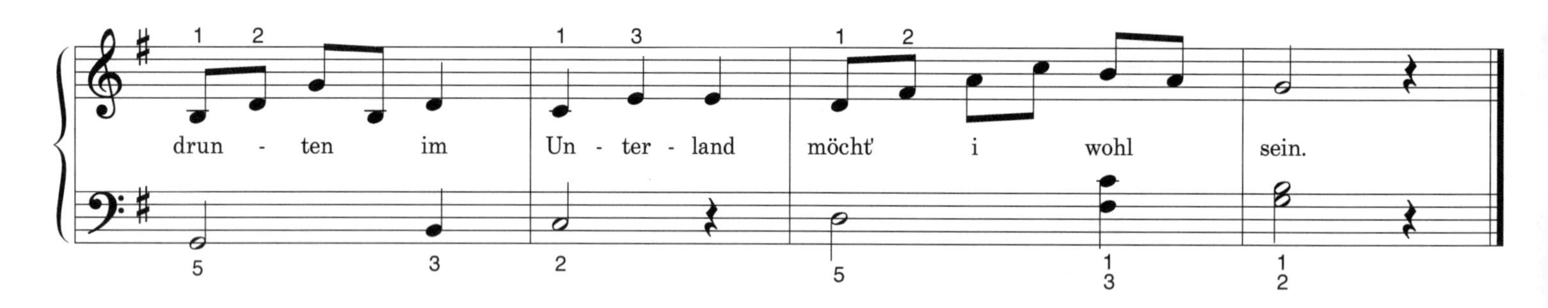

2. Drunten im Neckartal, da ist's halt gut:
Ist mer's da oben 'rum manchmal a no so dumm,
han i doch alleweil drunten gut's Blut.

3. Kalt ist's im Oberland, drunten ist's warm:
oben sind d'Leut so reich, d'Herzen sind gar net weich,
b'sehn mi net freundlich an, werden net warm.

4. Aber da unten 'rum, da sind d'Leut arm,
aber so froh und frei und in der Liebe treu;
drum sind im Unterland d'Herzen so warm.

ALS WIR JÜNGST IN REGENSBURG WAREN

Traditional
Arr.: Peter Herde

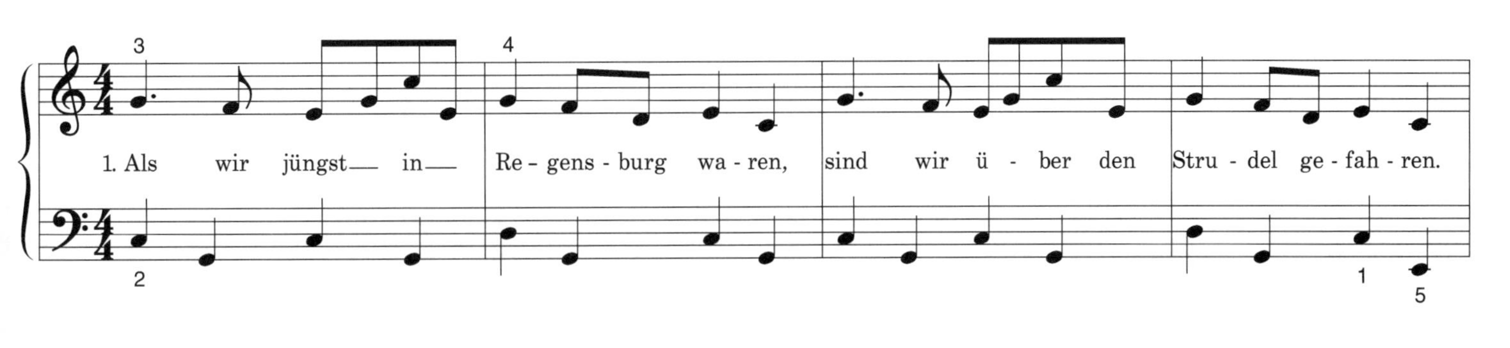

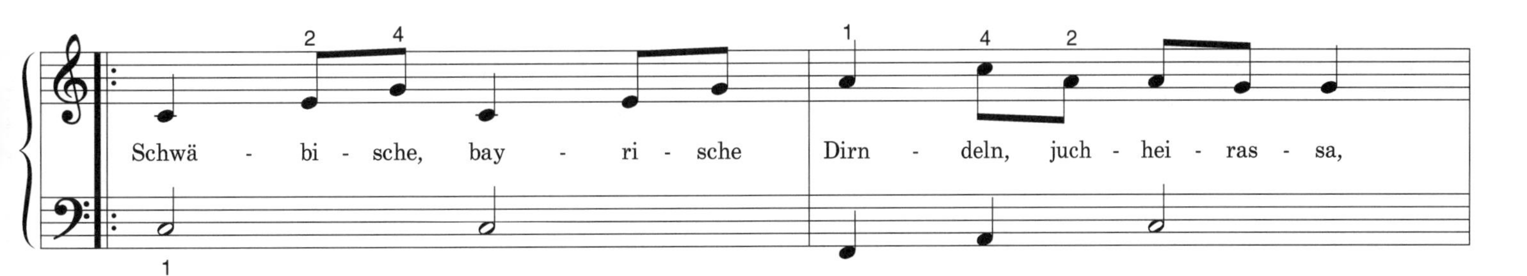

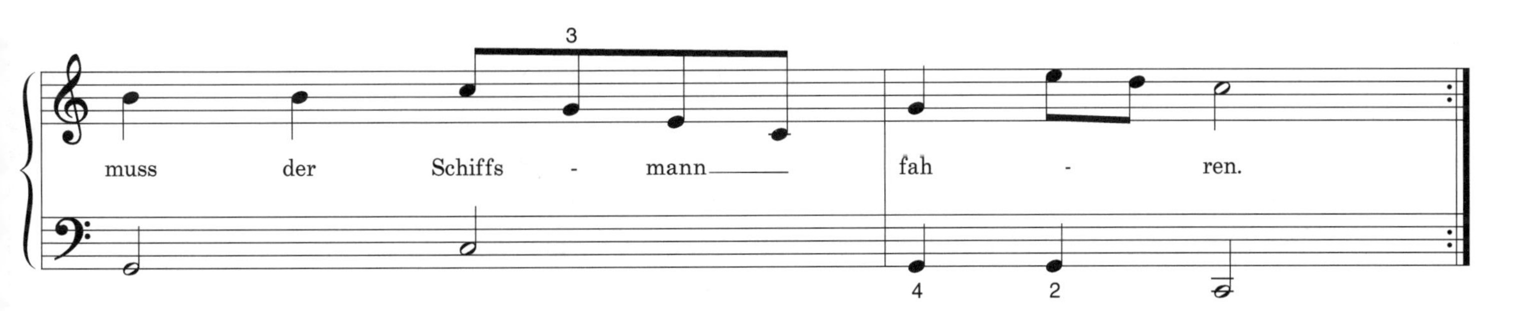

2. Und ein Mädel von zwölf Jahren
ist mit über den Strudel gefahren;
weil sie noch nicht lieben kunnt',
fuhr sie sicher über Strudels Grund.
Schwäbische, bayrische ...

3. Und vom hohen Bergesschlosse
kam auf stolzem, schwarzen Rosse
adlig Fräulein Kunigund,
wollt mitfahr'n über's Strudels Grund.
Schwäbische, bayrische ...

4. Schiffsmann, lieber Schiffsmann mein,
sollt's denn so gefährlich sein?
Schiffsmann, sag's mir ehrlich,
ist's denn so gefährlich?
Schwäbische, bayrische ...

5. Wem der Myrthenkranz geblieben,
landet froh und sicher drüben;
wer ihn hat verloren,
ist dem Tod erkoren.
Schwäbische, bayrische ...

6. Als sie auf die Mitt' gekommen,
kam ein großer Nix' geschwommen,
nahm das Fräulein Kunigund,
fuhr mit ihr in des Strudels Grund.
Schwäbische, bayrische ...

BALD GRAS' ICH AM NECKAR

Traditional
Arr.: Peter Herde

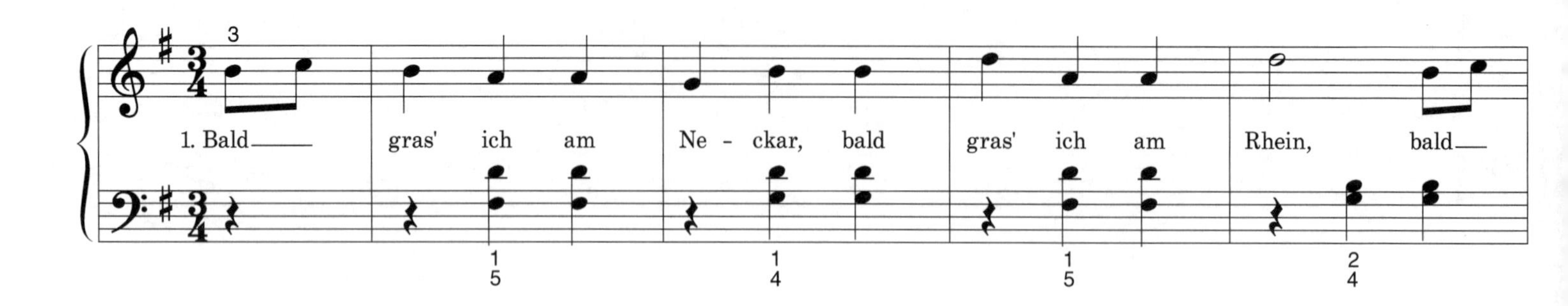

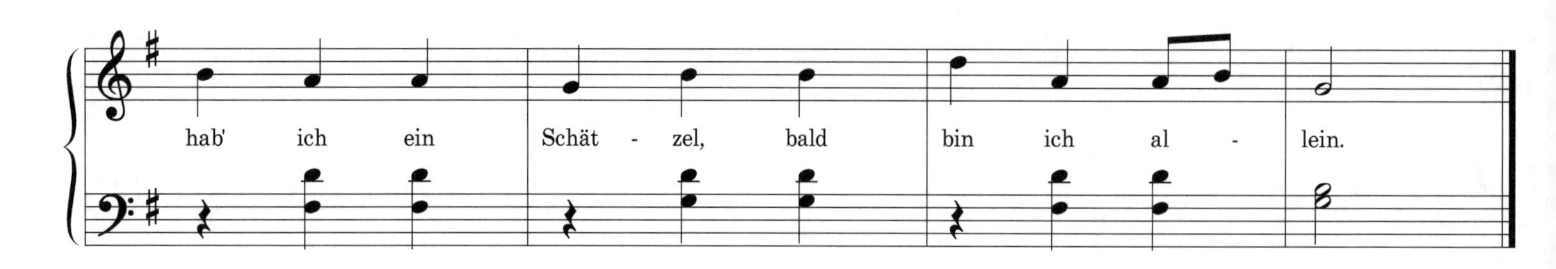

2. Was hilft mir das Grasen,
wenn d'Sichel nicht schneid't;
was hilft mir das Schätzel,
wenn's bei mir nicht bleibt.

3. Und soll ich denn grasen
am Neckar, am Rhein,
so werf' ich mein schönes
Goldringlein hinein.

4. Es fließet im Neckar,
es fließet im Rhein,
soll schwimmen hinunter
ins tiefe Meer 'nein.

5. Und schwimmt das Goldringlein,
so frisst es ein Fisch;
das Fischlein soll kommen
auf'n König sein' Tisch.

6. Der König tut fragen,
wem's Ringlein soll sein.
Da tut mein Schatz sagen:
'S Ringlein g'hört mein.

7. Mein Schätzel tut springen
bergauf und bergein,
tut wiederum bringen
das Goldringlein fein.

8. Kannst grasen am Neckar,
kannst grasen am Rhein,
wirf du mir nur immer
dein Ringlein hinein!

EINE SEEFAHRT, DIE IST LUSTIG

Traditional
Arr.: Peter Herde

2. Ist das Wetter immer heiter,
immer sonnig, immer gut,
oh, dann steigt wie auf 'ner Leiter
unser Frohsinn, unser Mut.
Hol-la-hi ...

ES GEHT EIN' DUNKLE WOLK' HEREIN

Traditional
Arr.: Peter Herde

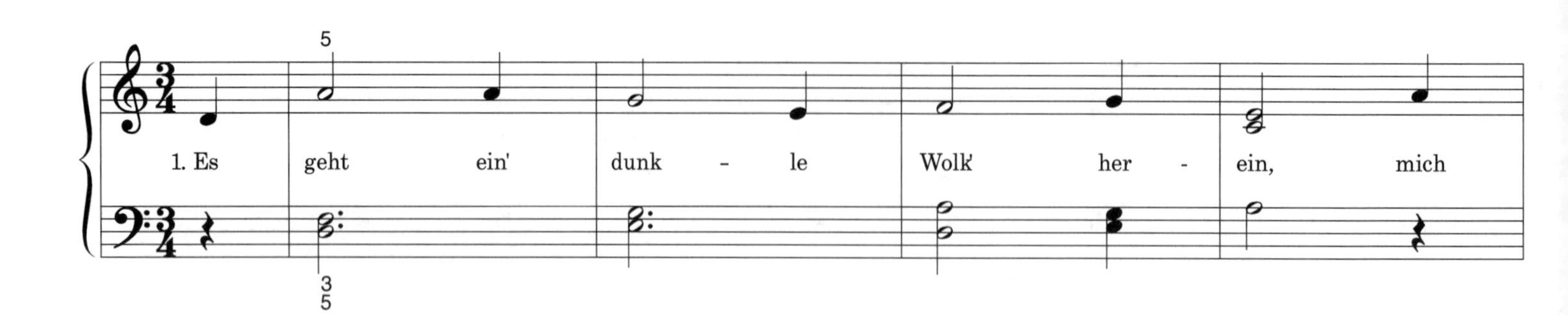

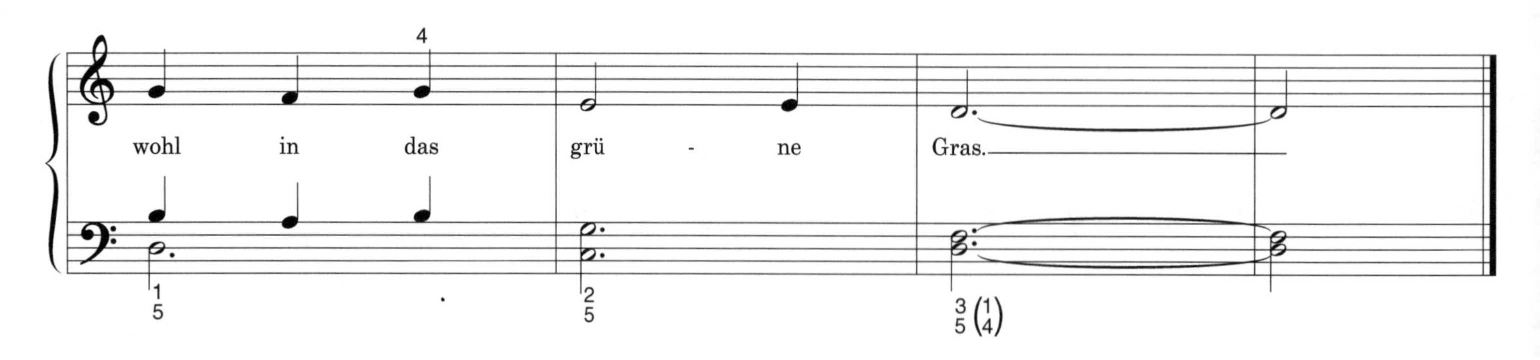

2. Und kommt die liebe Sonn' nit bald,
so weset all's im grünen Wald;
und all' die müden Blumen,
die haben müden Tod.

3. Es geht ein' dunkle Wolke herein.
Es soll und muss geschieden sein.
Ade Feinslieb', dein Scheiden
macht mir das Herze schwer.

HEJO, SPANN DEN WAGEN AN

Traditional
Arr.: Peter Herde

BUNT SIND SCHON DIE WÄLDER

M: Johann F. Reichardt
T: Johann G. Freiherr v. Salis-Seewis
Arr.: Peter Herde

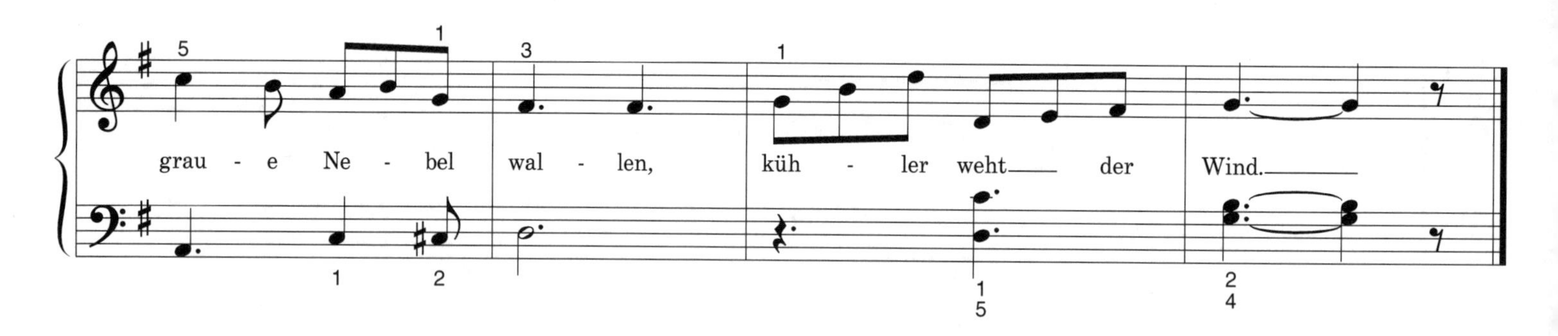

2. Wie die volle Traube
aus dem Rebenlaube
purpurfarbig strahlt.
Am Geländer reifen
Pfirsiche, mit Streifen
rot und weiß bemalt.

3. Flinke Träger springen,
und die Mädchen singen,
alles jubelt froh.
Bunte Bänder schweben
zwischen hohen Reben
auf dem Hut von Stroh.

4. Geige tönt und Flöte
bei der Abendröte
und im Mondesglanz;
junge Winzerinnen
winken und beginnen
frohen Erntetanz.

JETZT FAHR'N WIR ÜBERN SEE

Traditional
Arr.: Peter Herde

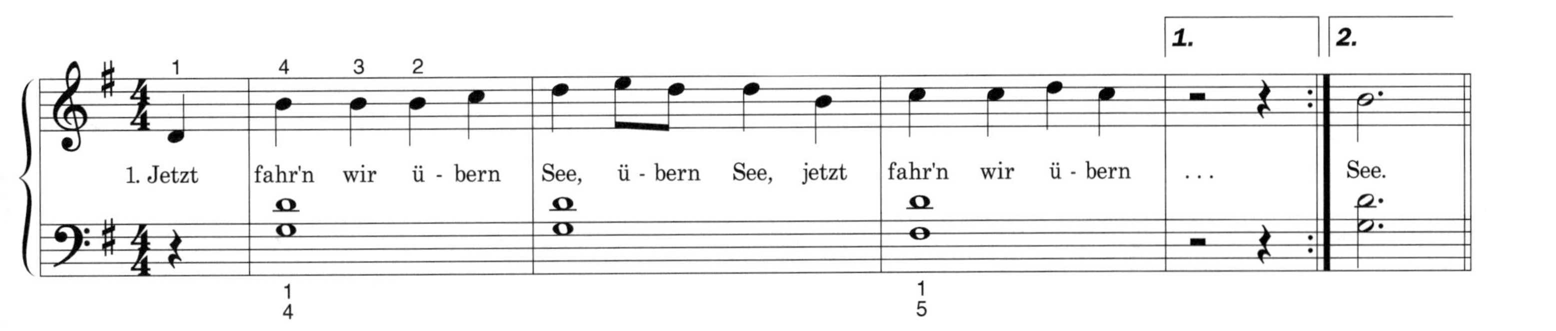

2. Und als wir drüben war'n, ...
Da sangen alle Vöglein, ...
da sangen alle Vöglein, der helle Tag brach an.

3. Der Jäger blies ins Horn, ...
Da bliesen alle Jäger, ...
da bliesen alle Jäger, ein jeder in sein Horn.

4. Das Liedlein, das ist aus, ...
Und wer das Lied nicht singen kann, ...
und wer das Lied nicht singen kann, der fängt von vorne an.

DAS LAUB FÄLLT VON DEN BÄUMEN

M: Traditional
T: August S. Mahlmann
Arr.: Peter Herde

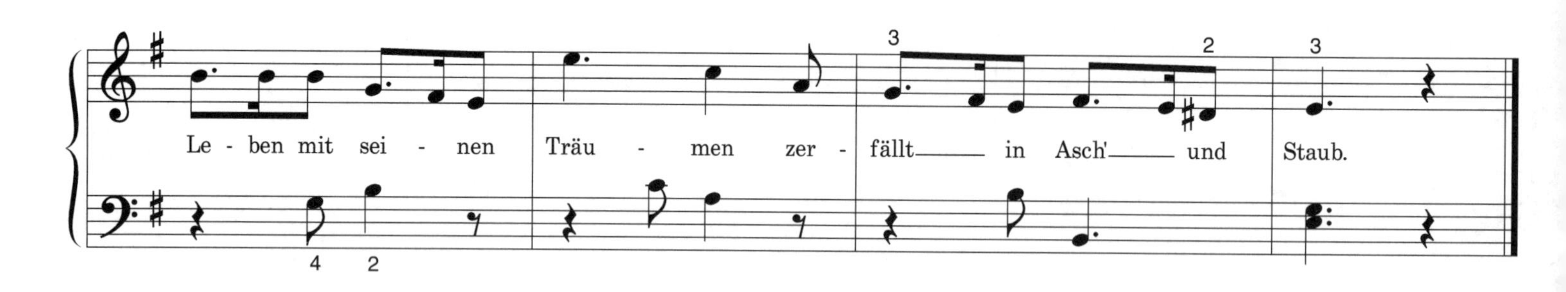

2. Die Vöglein traulich sangen,
wie schweigt der Wald jetzt still!
Die Lieb' ist fortgegangen,
kein Vöglein singen will!

3. Die Liebe kehrt wohl wieder
im künft'gen, lieben Jahr,
und alles tönt dann wieder,
was hier verklungen war.

4. Der Winter sei willkommen,
sein Kleid ist rein und neu!
Den Schmuck hat er genommen,
den Keim bewahrt er treu.

Tiere / Animal Kingdom

ABC, DIE KATZE LIEF IM SCHNEE

Traditional
Arr.: Peter Herde

HOPP, HOPP, HOPP, PFERDCHEN LAUF GALOPP

M: Carl Gottlieb Hering
T: Carl Hahn
Arr.: Peter Herde

2. Tipp, tipp, tapp,
wirf mich nur nicht ab!
Zähme deine wilden Triebe,
Pferdchen, tu es mir zuliebe!
Tipp, tipp, tipp, tipp, tapp,
wirf mich nur nicht ab!

3. Brr, brr, brr,
steh‘ doch, Pferdchen, steh‘!
Sollst schon heute weiterspringen,
muss dir nur erst Futter bringen!
Brr, brr, brr, brr, brr,
steh‘ doch, Pferdchen, steh‘!

EIN VOGEL WOLLTE HOCHZEIT MACHEN

Traditional
Arr.: Peter Herde

2. Die Drossel war der Bräutigam,
   die Amsel war die Braute.
   Fidirallala ...

3. Die Lerche, die Lerche,
   die führt' die Braut zur Kerche.
   Fidirallala ...

4. Die Gänse und die Anten,
   die war'n die Musikanten.
   Fidirallala ...

5. Der Uhu, der Uhu,
   der bringt der Braut die
   Hochzeitsschuh'.
   Fidirallala ...

6. Der Kuckuck schreit,
   der Kuckuck schreit,
   er bringt der Braut das
   Hochzeitskleid.
   Fidirallala ...

7. Der Sperling, der Sperling,
   der bringt der Braut den Trauring.
   Fidirallala ...

8. Die Taube, die Taube,
   die bringt der Braut die Haube.
   Fidirallala ...

9. Die Meise, die Meise,
   die bringt der Braut die Speise.
   Fidirallala ...

10. Der Seidenschwanz,
    der Seidenschwanz
    macht mit der Braut
    den ersten Tanz.
    Fidirallala ...

11. Frau Kratzefuß, Frau Kratzefuß
    gibt allen einen Abschiedskuss.
    Fidirallala ...

12. Der Uhu, der Uhu,
    der macht die Fensterläden zu.
    Fidirallala ...

13. Der Hahn, der krähet: Gute Nacht!
    Jetzt wird die Kammer zugemacht.
    Fidirallala ...

14. Die Vogelhochzeit ist nun aus,
    die Vögel fliegen all nach Haus.
    Fidirallala ...

KOMMT EIN VOGEL GEFLOGEN

M: Wenzel Müller
T: Adolf Bäuerle
Arr.: Peter Herde

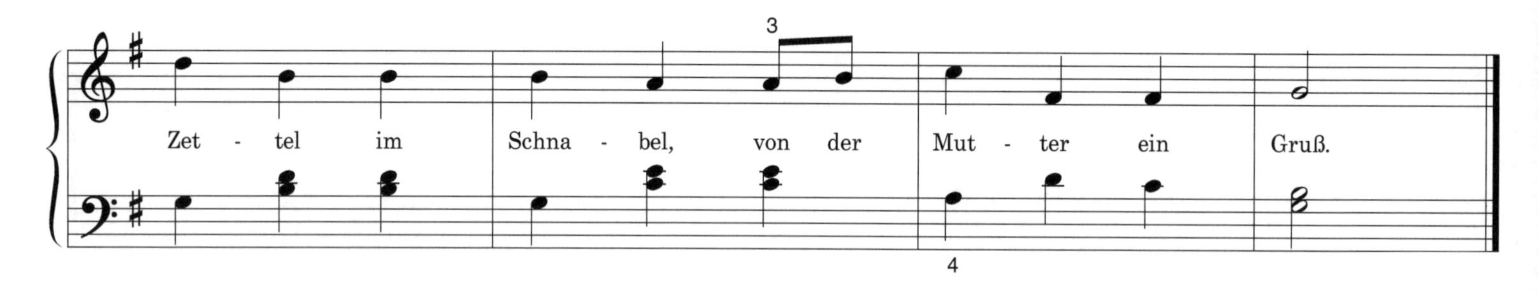

2. Lieber Vogel, flieg weiter,
nimm ein' Gruß mit, einen Kuss,
denn ich kann dich nicht begleiten,
weil ich hier bleiben muss.

GRETEL, PASTETEL, WAS MACHEN DIE GÄNS'

Traditional
Arr.: Peter Herde

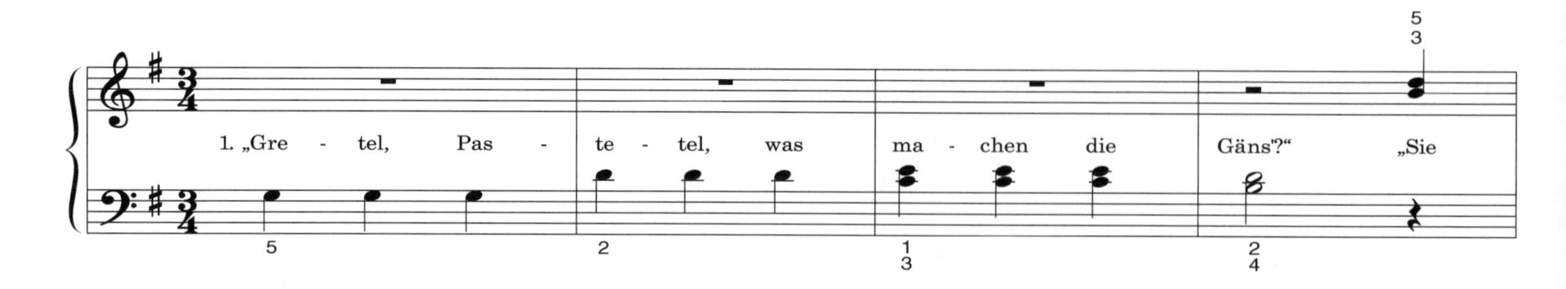

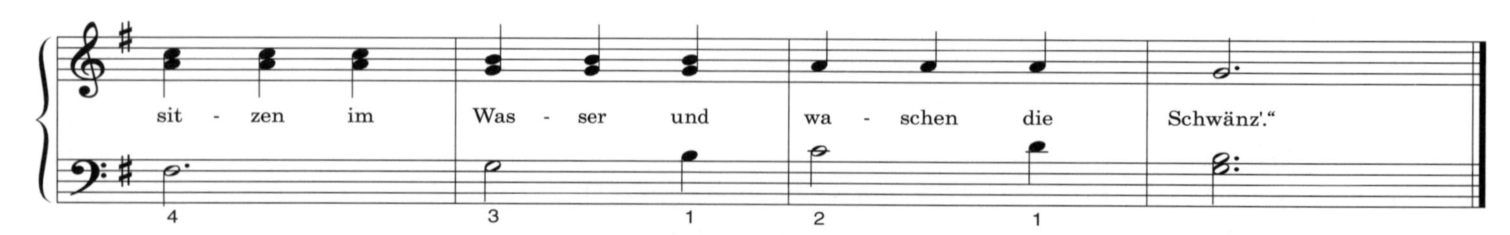

2. „Gretel, Pastetel, was macht eure Kuh?"
„Sie stehet im Stalle und macht immer muh."

3. „Gretel, Pastetel, was macht euer Hahn?"
„Er sitzt auf der Mauer und kräht, was er kann."

SITZT EIN KLEIN'S VÖGLEIN IM TANNENBAUM

Traditional
Peter Herde

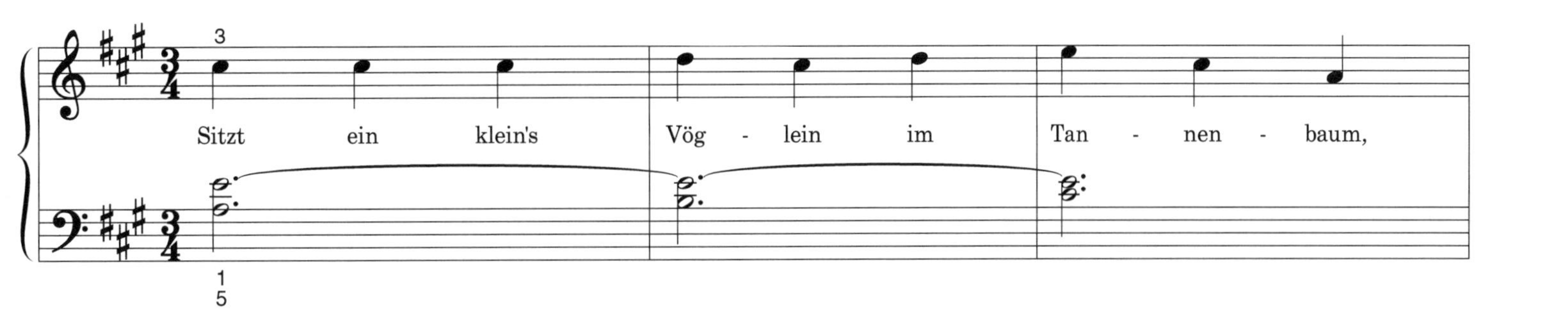

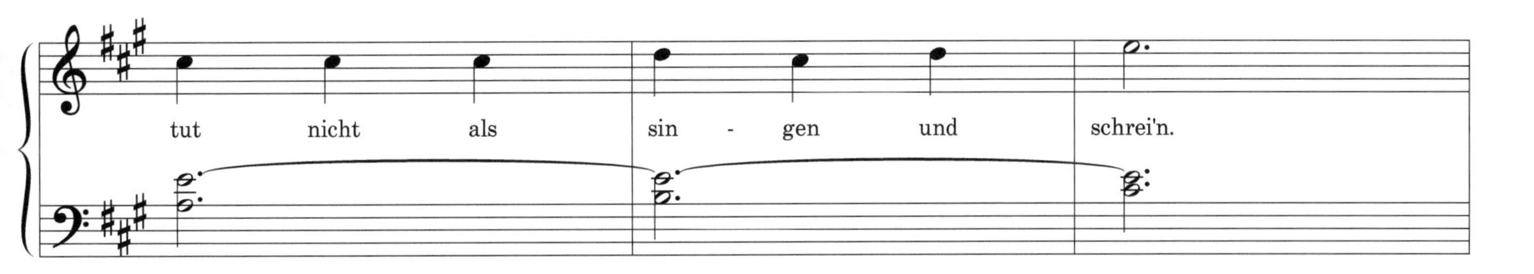

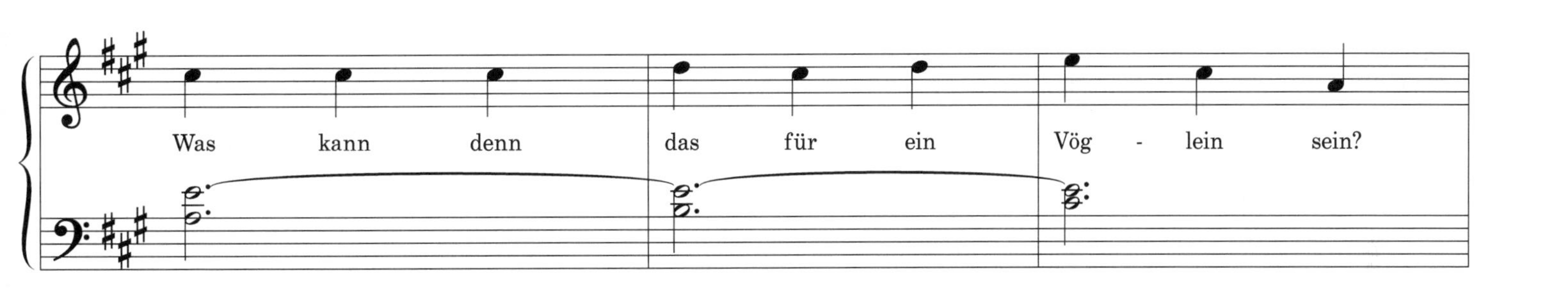

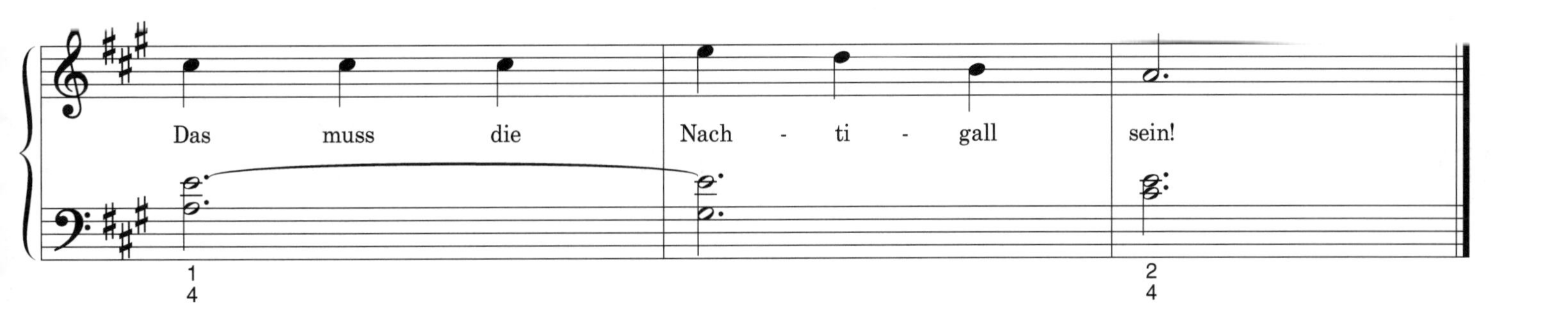

OLD MAC DONALD HAD A FARM

Traditional
Arr.: Peter Herde

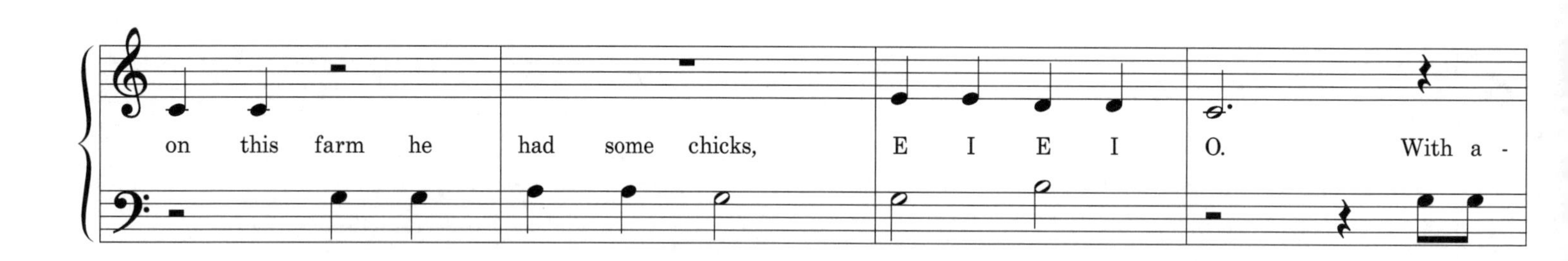

2. ... some ducks ... quack-quack ...

3. ... some geese ... gabble-gabble ...

4. ... a cow ... moo-moo ...

5. ... a pig ... oink-oink ...

6. ... a car ... rattle-rattle ...

SUMM, SUMM, SUMM

M: Traditional
T: A. H. Hoffmann v. Fallersleben
Arr.: Peter Herde

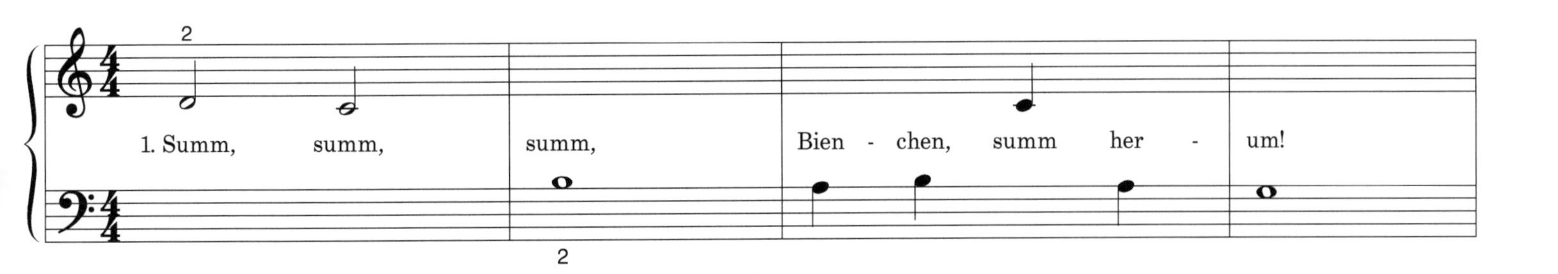

2. Summ, summ, summ, Bienchen, summ herum!
Such in Blumen, such in Blümchen
dir ein Tröpfchen, dir ein Krumchen!
Summ, summ, summ, Bienchen, summ herum!

3. Summ, summ, summ, Bienchen, summ herum!
Kehre heim mit reicher Habe,
bau uns manche volle Wabe!
Summ, summ, summ, Bienchen, summ herum!

LA CUCARACHA

Traditional
Arr.: Peter Herde

2. Todas la muchachas tienen en los ojos dos estrellas,
pero las mejicanitas de seguro son más bellas.

 Refrain

FUCHS, DU HAST DIE GANS GESTOHLEN

M: Traditional
T: Ernst Anschütz
Arr.: Peter Herde

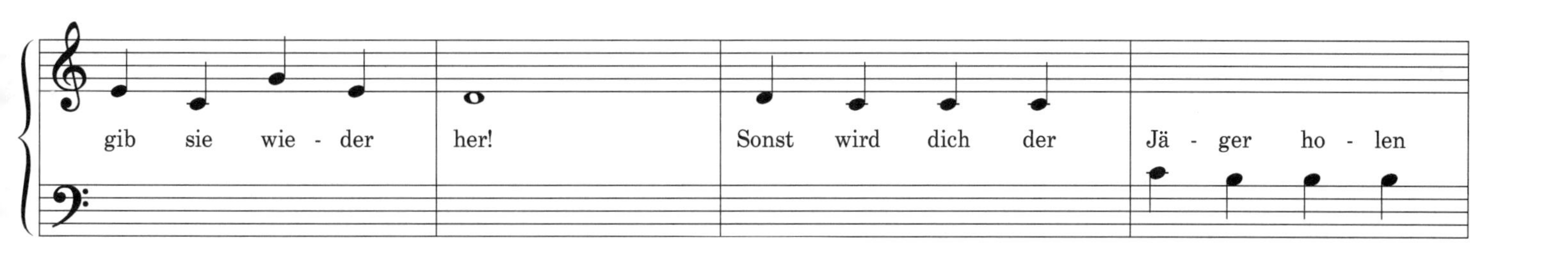

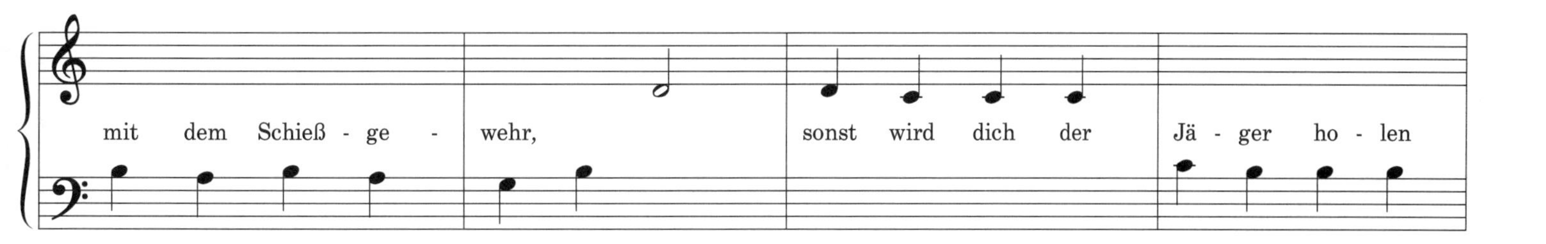

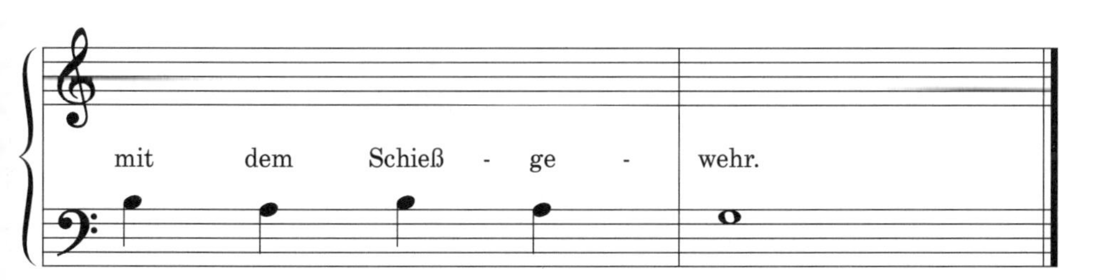

2. Seine große, lange Flinte
schießt auf dich mit Schrot, schießt auf dich mit Schrot.
Dass dich färbt die rote Tinte,
und dann bist du tot,
dass dich färbt die rote Tinte,
und dann bist du tot.

3. Liebes Füchslein, lass dir raten,
sei doch nur kein Dieb, sei doch nur kein Dieb!
Nimm, du brauchst nicht Gänsebraten,
mit der Maus vorlieb,
nimm, du brauchst nicht Gänsebraten,
mit der Maus vorlieb.

DER KUCKUCK UND DER ESEL

M: Carl Friedrich Zelter
T: A. H. Hoffmann v. Fallersleben
Arr.: Peter Herde

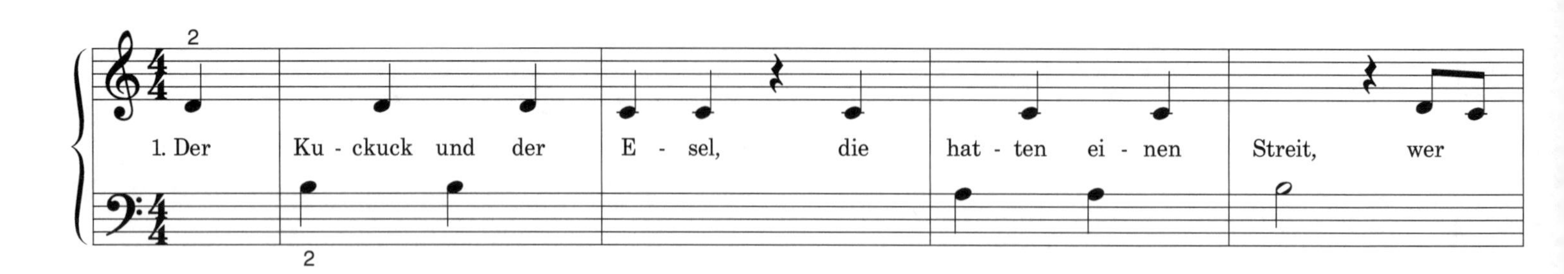

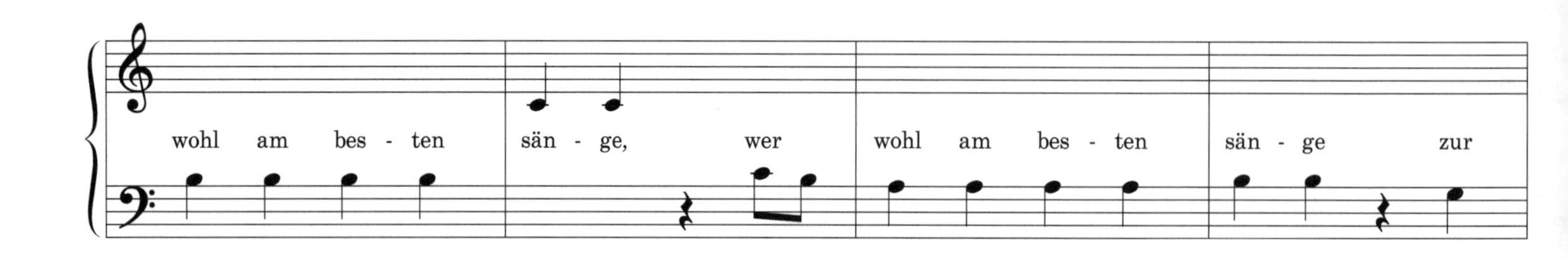

2. Der Kuckuck sprach: „Das kann ich!“
und fing gleich an zu schrei‘n.
„Ich aber kann es besser,
ich aber kann es besser!“,
fiel gleich der Esel ein, fiel gleich der Esel ein.

3. Das klang so schön und lieblich,
so schön von fern und nah.
Sie sangen alle beide,
sie sangen alle beide :
„Kuckuck, Kuckuck, I-a, I-a, Kuckuck, Kuckuck, I-a.“

ZWISCHEN BERG UND TIEFEM TAL

Traditional
Arr.: Peter Herde

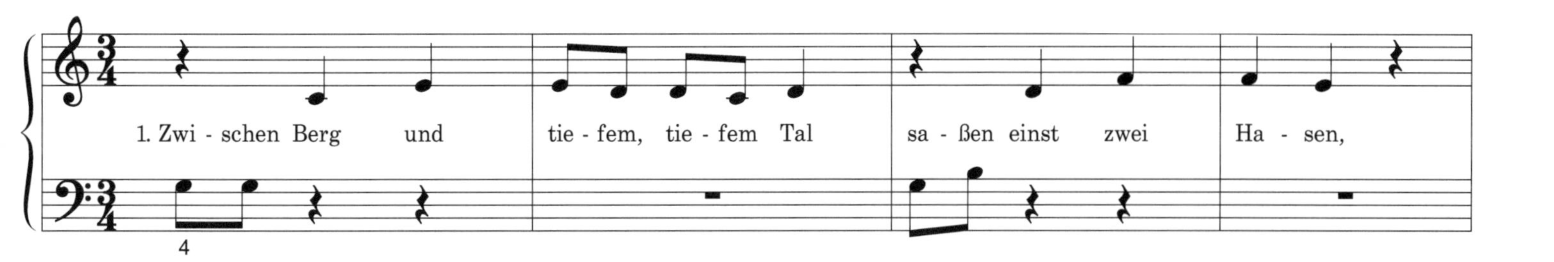

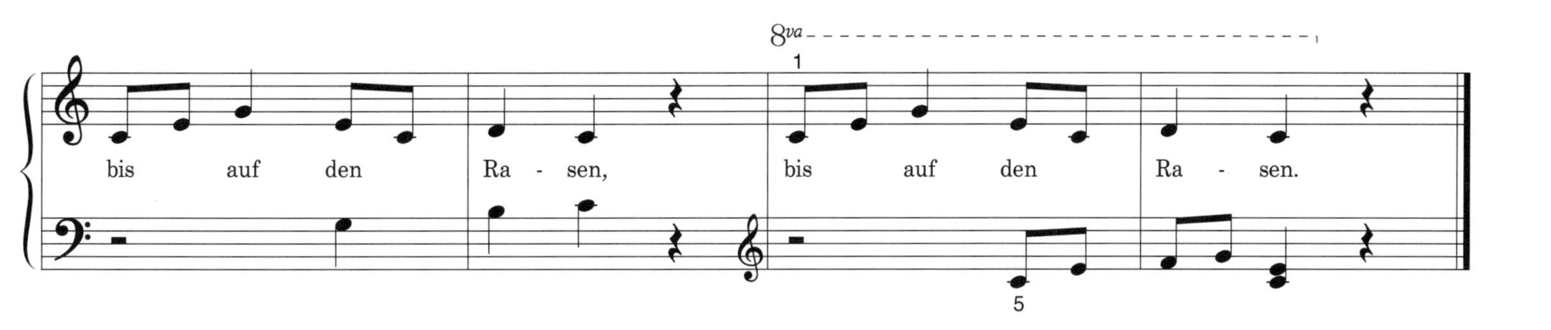

2. Als sie sich nun sattgefressen hatten,
setzten sie sich nieder,
bis dass der Jäger, Jäger kam,
bis dass der Jäger, Jäger kam
und schoss sie nieder, und schoss sie nieder.

3. Als sie sich nun aufgerappelt hatten
und sie sich besannen,
dass sie noch am Leben, Leben war'n,
dass sie noch am Leben, Leben war'n
liefen sie von dannen, liefen sie von dannen.

HÄSCHEN IN DER GRUBE

M: Karl Enslin
T: Friedrich Fröbel
Arr.: Peter Herde

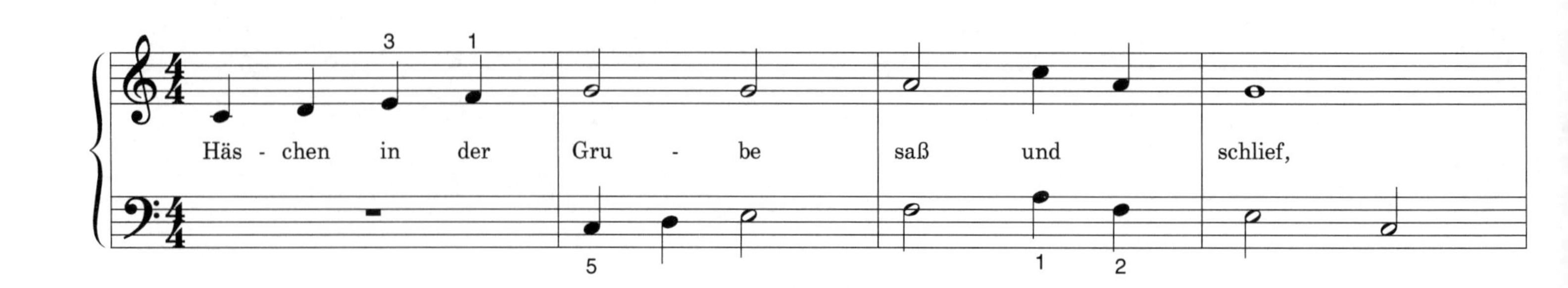

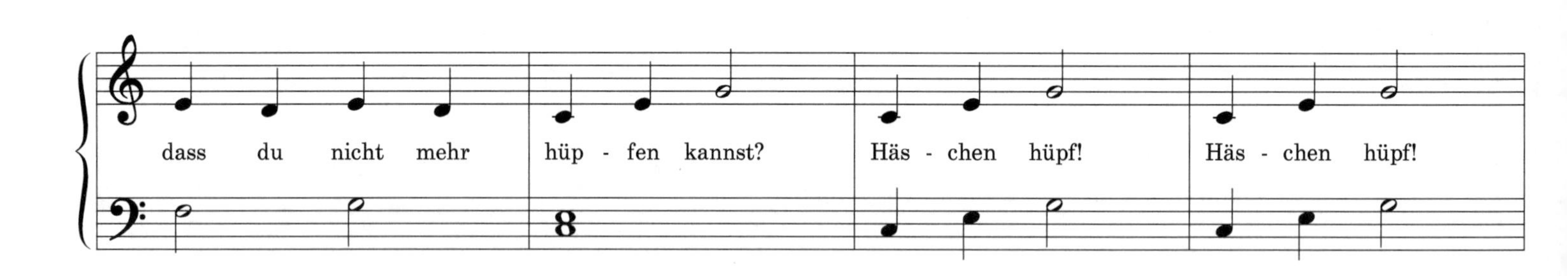

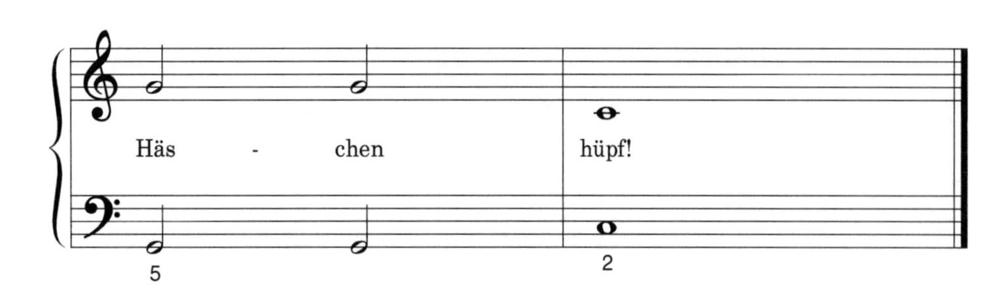

ALLE VÖGEL SIND SCHON DA

M: Traditional
T: A. H. Hoffmann v. Fallersleben
Arr.: Peter Herde

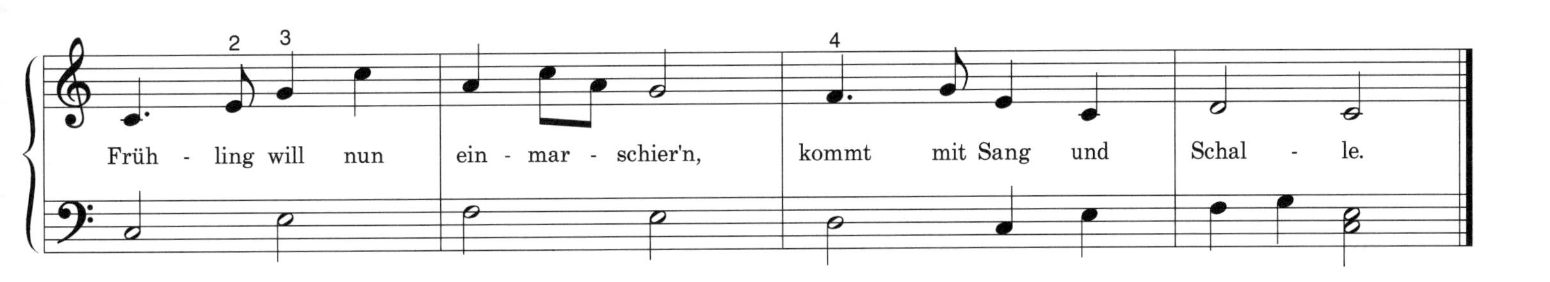

2. Wie sie alle lustig sind,
flink und froh sich regen!
Amsel, Drossel, Fink und Star
und die ganze Vogelschar
wünschen dir ein frohes Jahr,
lauter Heil und Segen.

3. Was sie uns verkünden nun,
nehmen wir zu Herzen!
Wir auch wollen lustig sein,
lustig wie die Vögelein,
hier und dort, feldaus, feldein,
singen, springen, scherzen.

AUF UNSRER WIESE GEHET WAS

Traditional
T: A. H. Hoffmann v. Fallersleben,
Richard Löwenstein
Arr.: Peter Herde

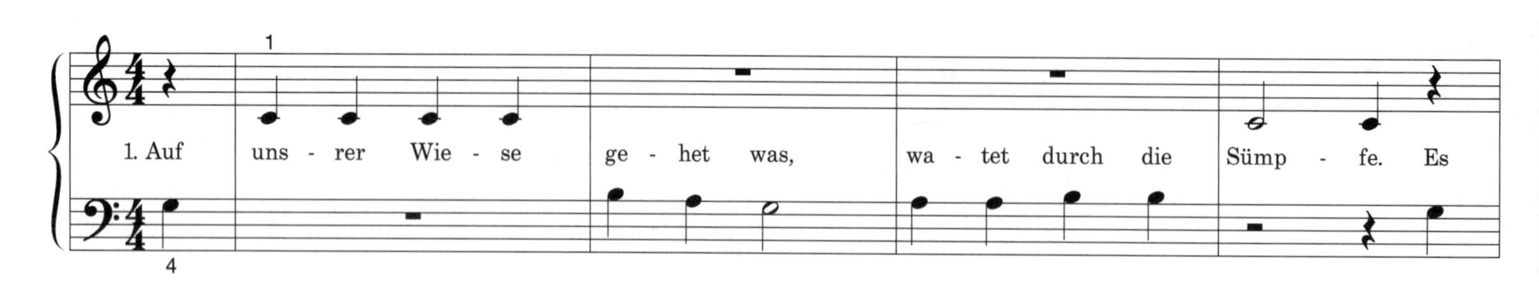

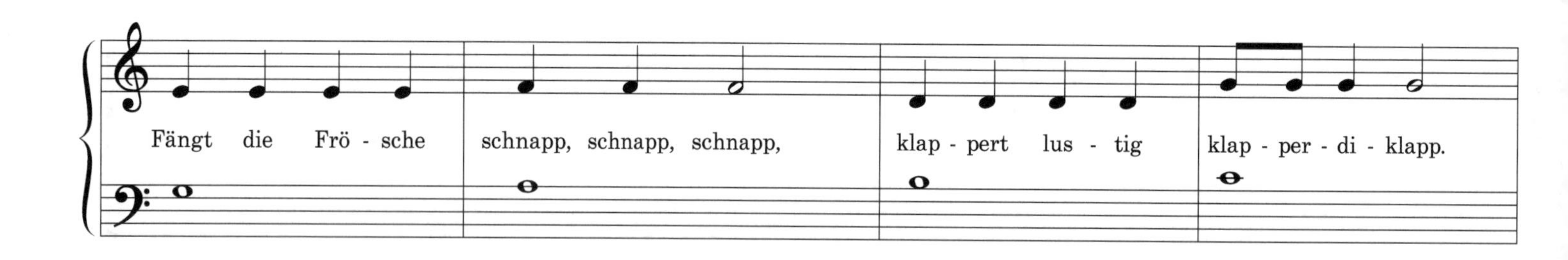

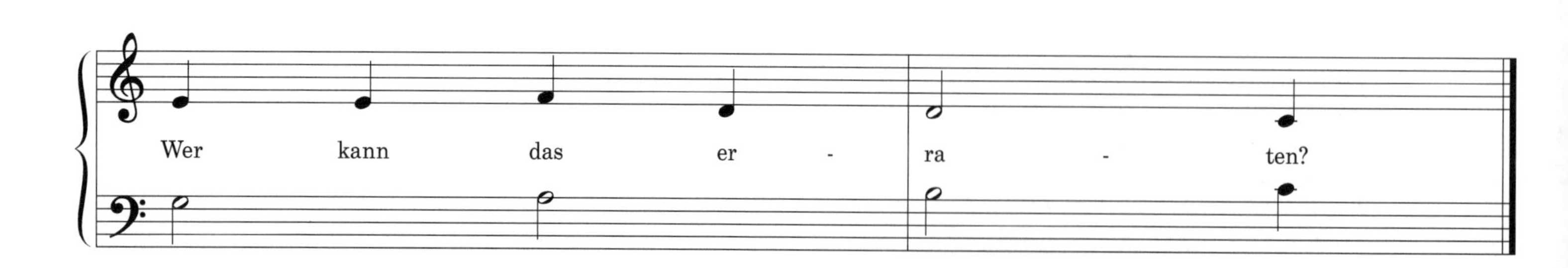

2. Ihr denkt, das ist der Klapperstorch,
watet durch die Sümpfe,
er hat ein schwarzweiß‘ Röcklien an,
trägt auch rote Strümpfe.
Fängt die Frösche schnapp, schnapp, schnapp,
klappert lustig klapperdiklapp.
Nein, das ist Frau Störchin.

SUSE, LIEBE SUSE, WAS RASCHELT IM STROH

Traditional
Arr.: Peter Herde

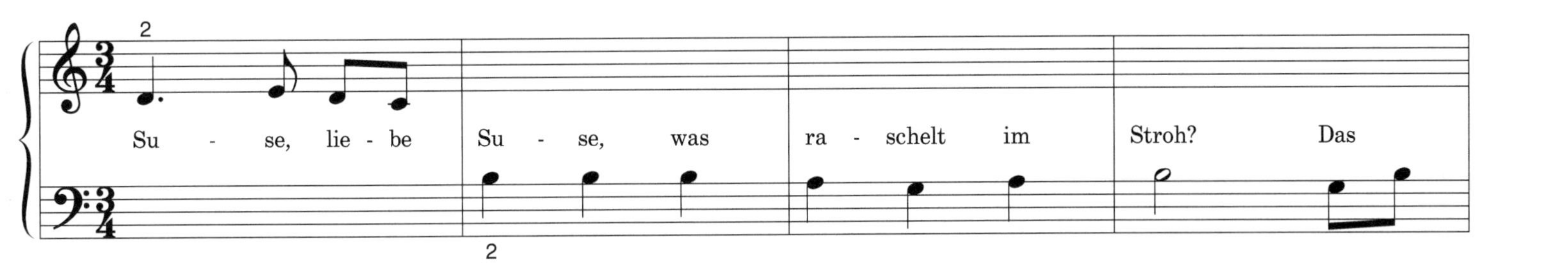

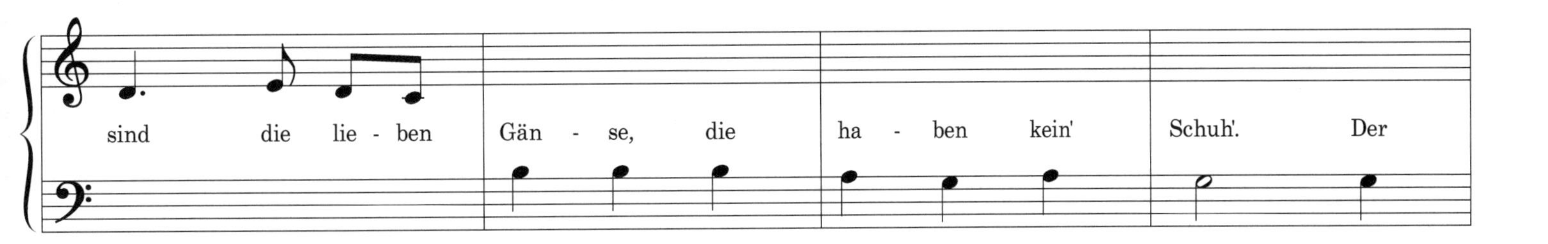

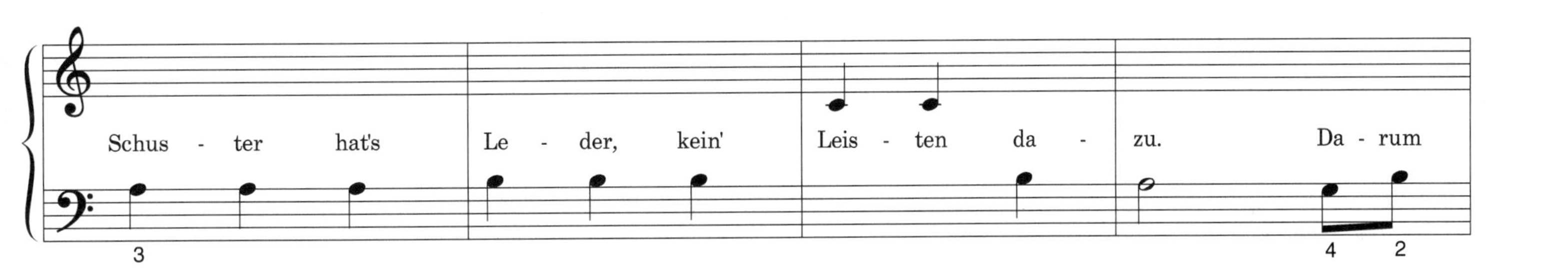

WAS HABEN WIR GÄNSE FÜR KLEIDER AN?

M: Traditional
T: A. H. Hoffmann v. Fallersleben
Arr.: Peter Herde

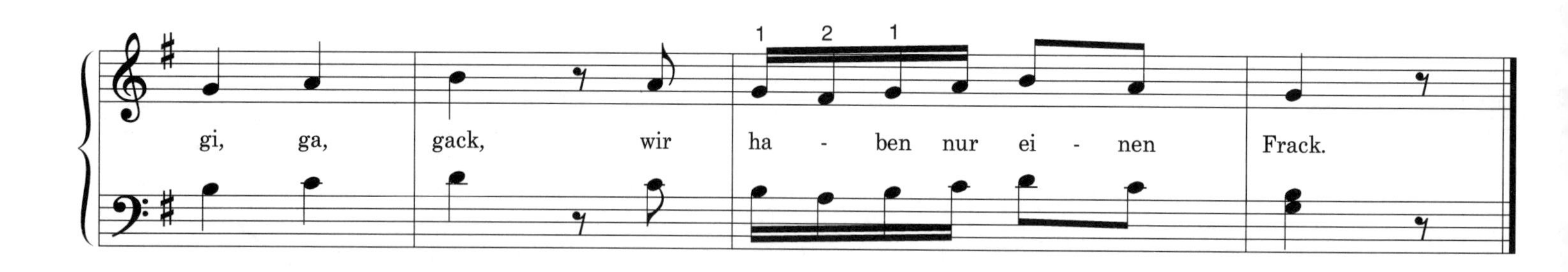

2. Was trinken wir Gänse für einen Wein? Gi, ga, gack.
Wir trinken nur den stärksten Wein,
das ist der Gänsewein allein,
gi, ga, gack, ist stärker als Rum und Rak.

3. Was haben wir Gänse für eine Kost? Gi, ga, gack.
Des Sommers geh'n wir auf die Au,
des Winters speist die Bauersfrau,
gi, ga, gack, uns aus dem Hafersack.

4. Was reden wir Gänse für Sprache doch? Gi, ga, gack.
Wir könnten Professoren sein:
Wir reden Griechisch und Latein,
gi, ga, gack, ist unser Schnick und Schnack.

AUF EINEM BAUM EIN KUCKUCK SASS

Traditional
Arr.: Peter Herde

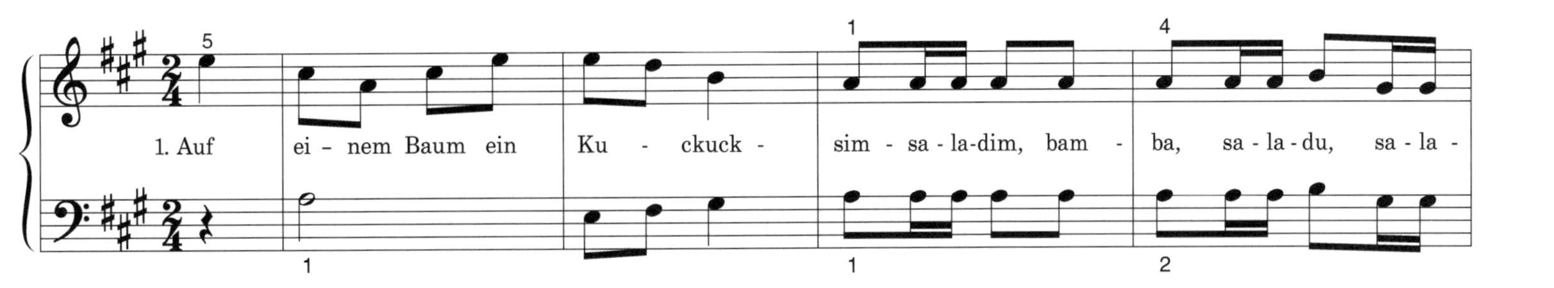

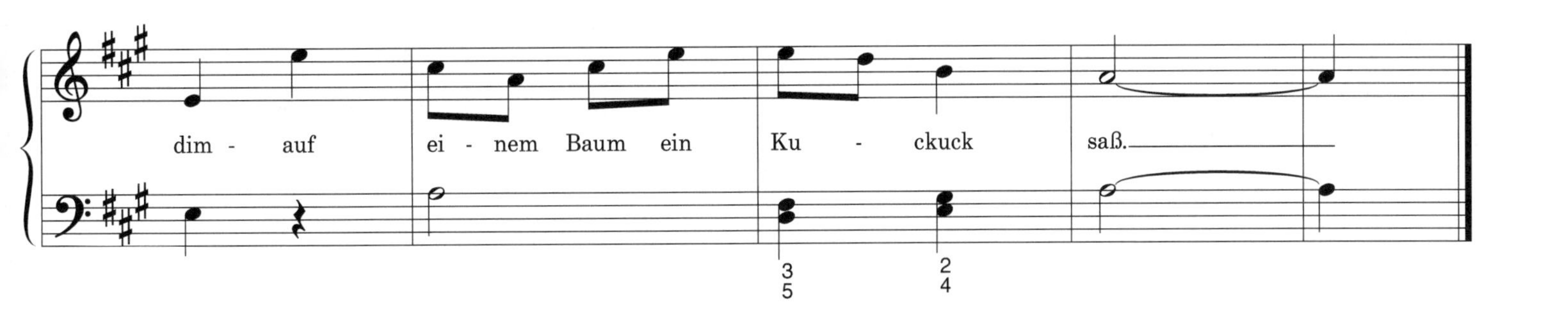

2. Da kam ein junger Jäger – simsaladim, bamba, saladu, saladim –
   da kam ein junger Jägersmann.

3. Der schoss den armen Kuckuck – simsaladim, bamba, saladu, saladim –
   der schoss den armen Kuckuck tot.

4. Und als ein Jahr vergangen – simsaladim, bamba, saladu, saladim –
   und als ein Jahr vergangen war.

5. Da war der Kuckuck wieder – simsaladim, bamba, saladu, saladim –
   da war der Kuckuck wieder da.

HEUT' IST EIN FEST BEI DEN FRÖSCHEN AM SEE

Traditional
Arr.: Peter Herde

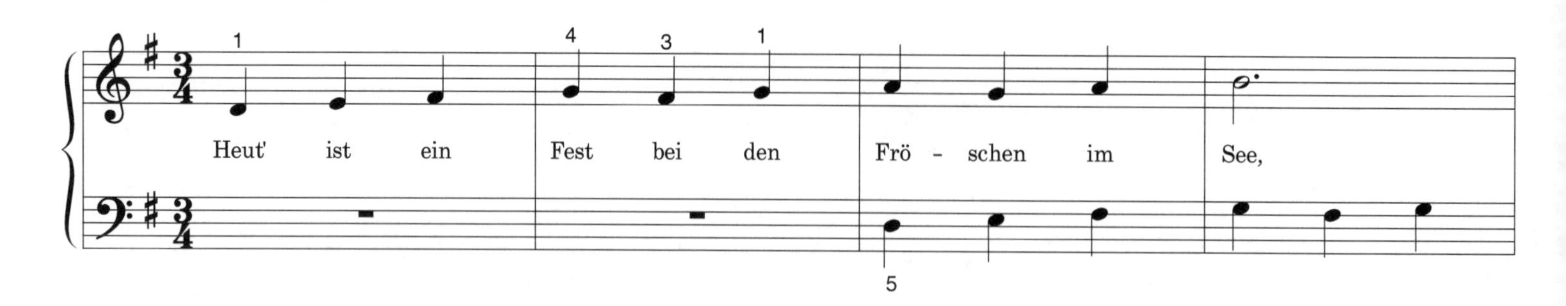

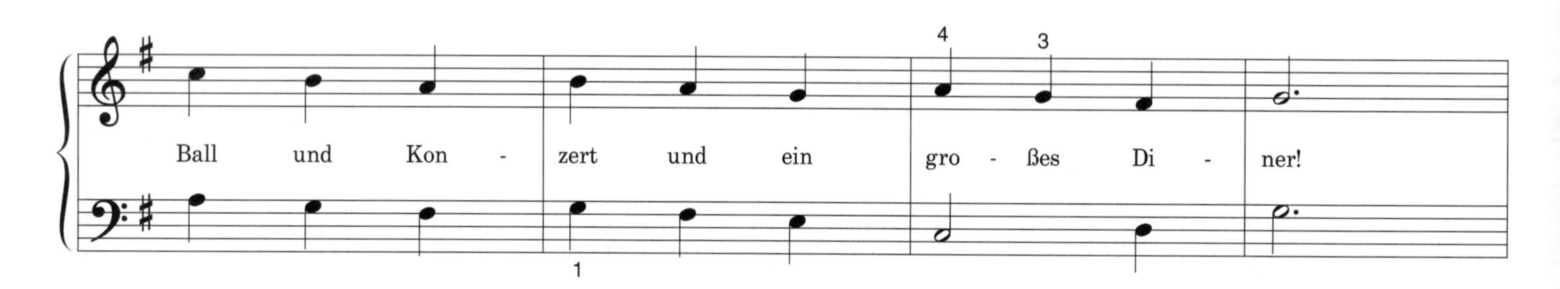

WIDELE, WEDELE

Traditional
Arr.: Peter Herde

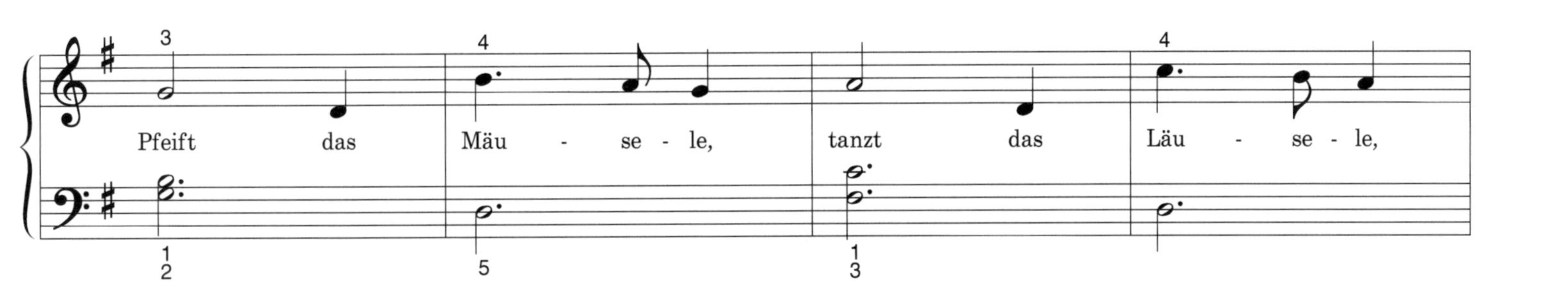

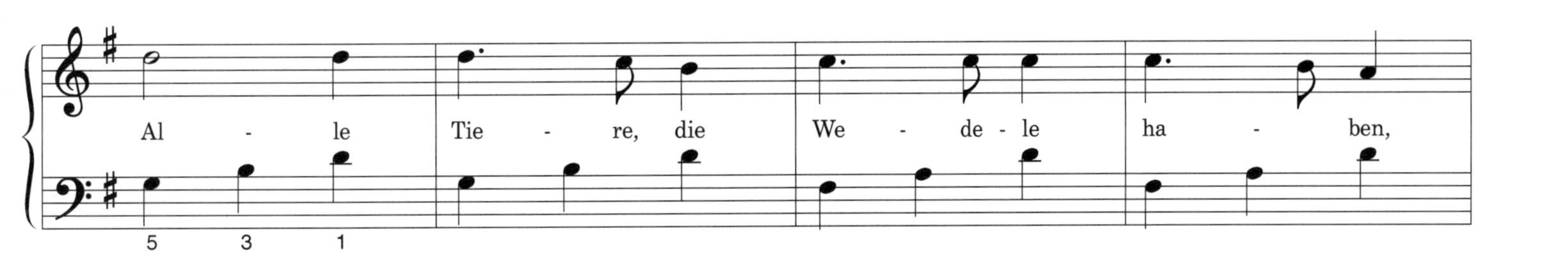

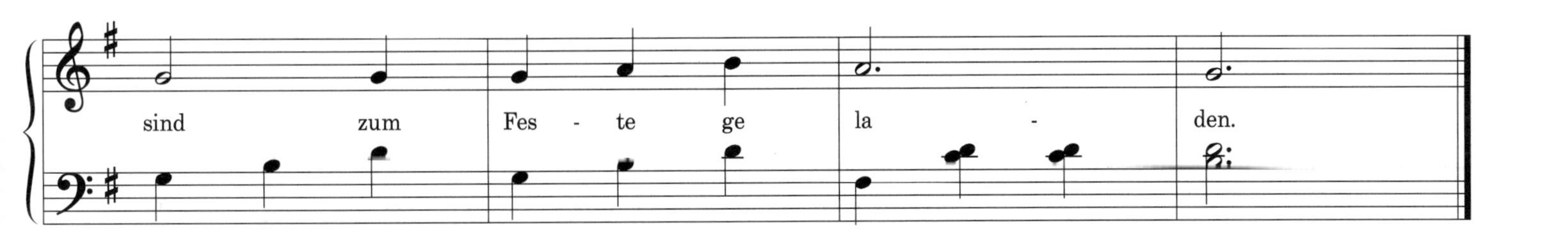

2. Widele, wedele, hinterm Städtele
feiern die Tiere ein Feste
Wind mer a Kränzele, tanz mer a Tänzele,
lass mer's Geigele klingen!
Alle Tiere, die Wedele haben,
sind zum Feste geladen.

WIDEWIDEWENNE HEISST MEINE PUTHENNE

Traditional
Arr.: Peter Herde

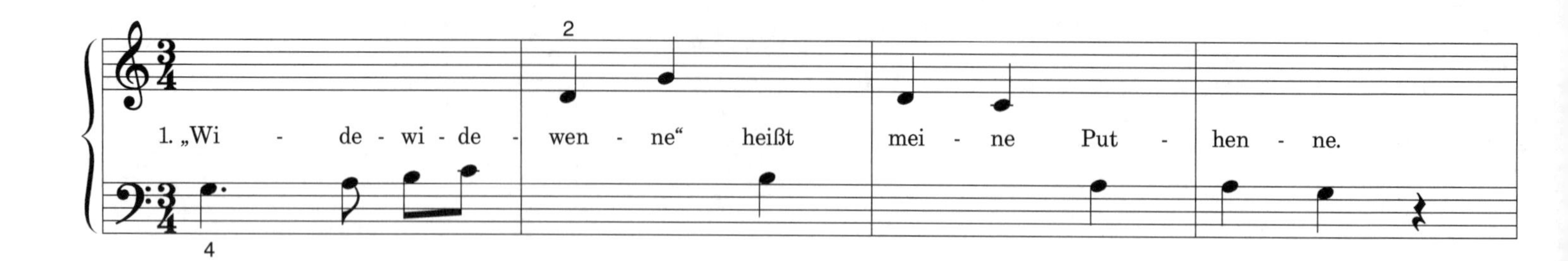

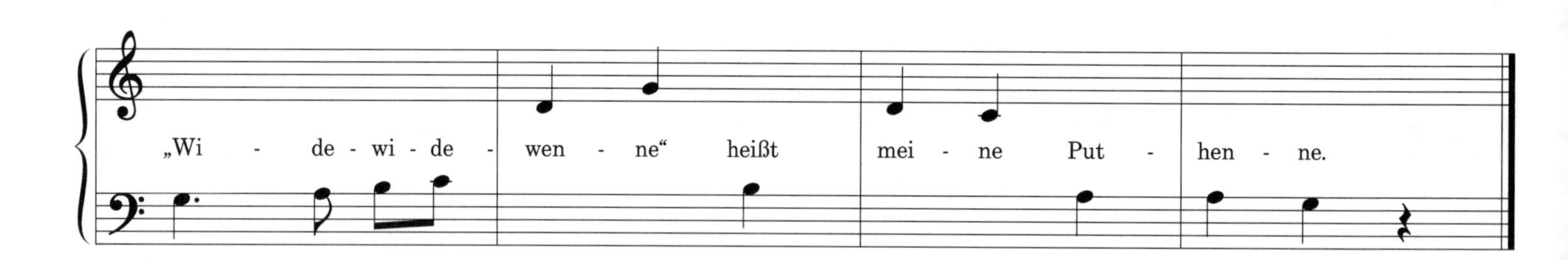

2. „Widewidewenne“ ...
„Schwarz-und-weiß“ heißt meine Geiß,
„Schmier-dich-ein“ heißt mein Schwein.
„Widewidewenne“ ...

3. „Widewidewenne“ ...
„Ehrenwert“ heißt mein Pferd,
„Gute-Muh“ heißt meine Kuh.
„Widewidewenne“ ...

4. „Widewidewenne“ ...
„Wettermann“ heißt mein Hahn,
„Kunterbunt“ heißt mein Hund.
„Widewidewenne“ ...

5. „Widewidewenne“ ...
„Sammettatz“ heißt meine Katz',
„Hupf-ins-Stroh“ heißt mein Floh.
„Widewidewenne“ ...

6. „Widewidewenne“ ...
„Guck-heraus“ heißt mein Haus,
„Schlupf-hinaus“ heißt meine Maus.
„Widewidewenne“ ...

7. „Widewidewenne“ ...
„Wohlgetan“ heißt mein Mann,
„Sausewind“ heißt mein Kind.
„Widewidewenne“ ...

8. „Widewidewenne“ ...
„Leberecht“ heißt mein Knecht,
„Spätbetagt“ heißt meine Magd.
„Widewidewenne“ ...

Tanz – Spiel – Spaß
Let‘s Have Fun

SOMEONE’S IN THE KITCHEN WITH DINAH

Traditional
Arr.: Carlos Molino

HAVA NAGILA

Traditional
Arr.: Peter Herde

VIVA LA MUSICA

Traditional
Arr.: Peter Herde

LIEBE SCHWESTER, TANZ MIT MIR

Traditional
Arr.: Peter Herde

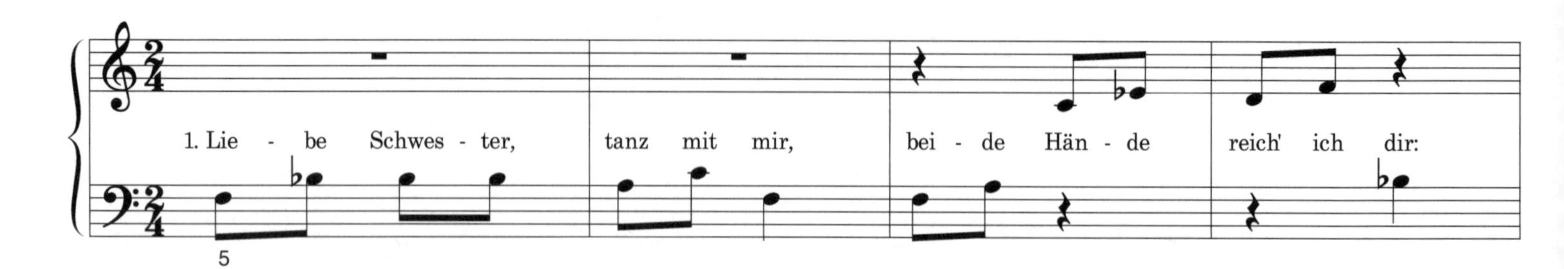

2. Mit den Händchen klapp, klapp, klapp,
mit den Füßchen trapp, trapp, trapp,
einmal hin, einmal her,
rundherum, das ist nicht schwer.

3. Ei, das hast du gut gemacht,
ei, das hätt' ich nicht gedacht.
Einmal hin, einmal her,
rundherum, das ist nicht schwer.

4. Mit dem Köpfchen nick, nick, nick,
mit dem Fingerchen tick, tick, tick,
einmal hin, einmal her,
rundherum, das ist nicht schwer.

5. Noch einmal das schöne Spiel,
weil es uns so gut gefiel:
einmal hin, einmal her,
rundherum, das ist nicht schwer.

RINGEL, RINGEL, REIHE

Traditional
Arr.: Peter Herde

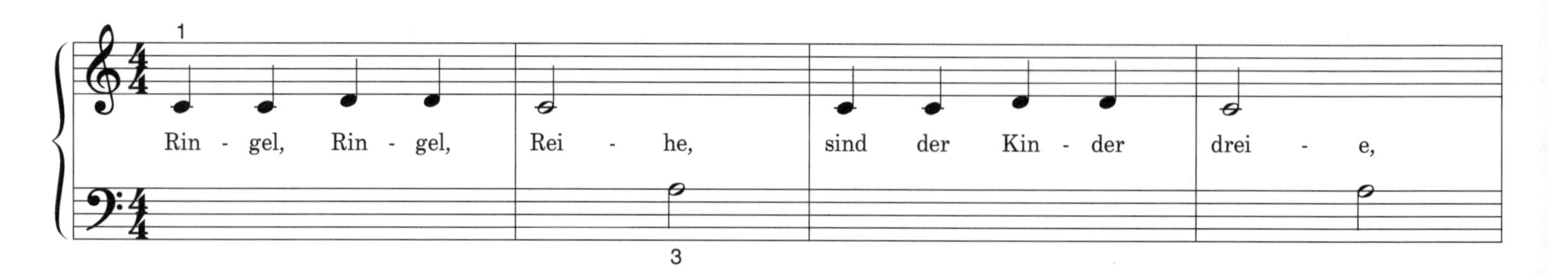

BRÜDERCHEN, KOMM TANZ MIT MIR

M: Engelbert Humperdinck
T: Adelheid Wette
Arr.: Peter Herde

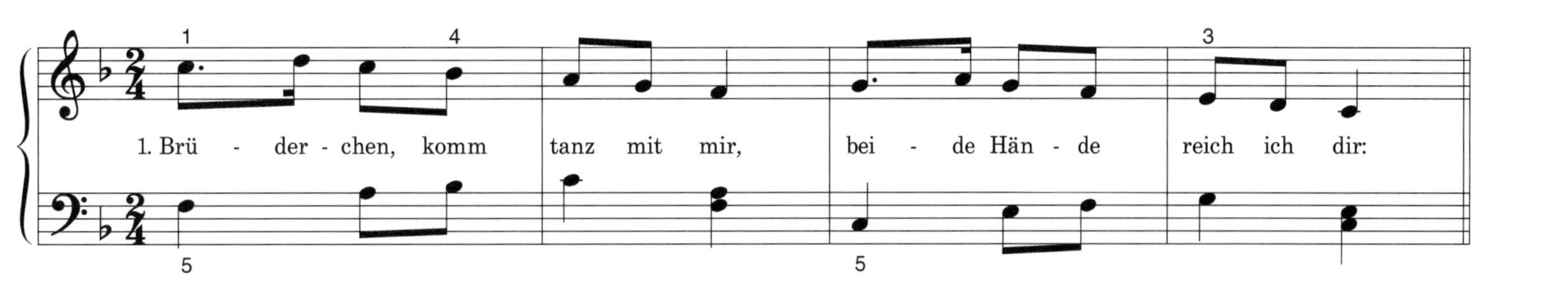

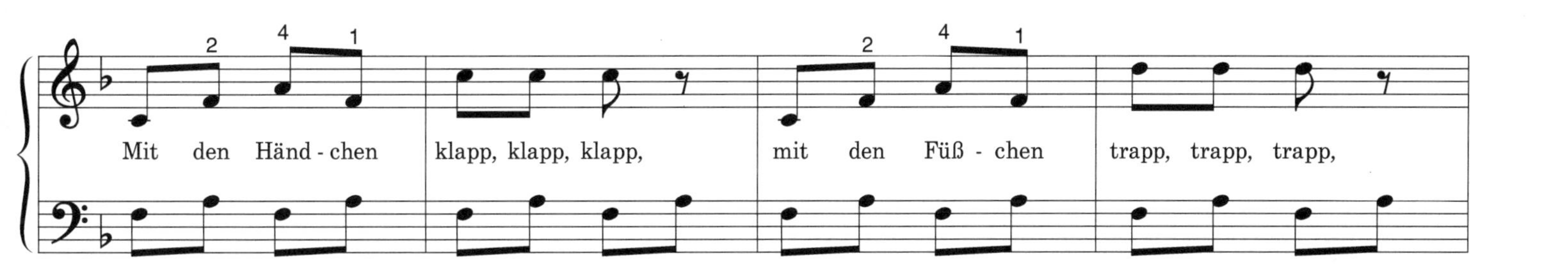

2. Ei, das hast du gut gemacht,
ei, das hätt' ich nicht gedacht.
Einmal hin, einmal her,
rundherum, das ist nicht schwer.

Mit dem Köpfchen nick, nick, nick,
mit dem Fingerchen tick, tick, tick,
einmal hin, einmal her,
rundherum, das ist nicht schwer.

3. Noch einmal das schöne Spiel,
weil es uns so gut gefiel:
einmal hin, einmal her,
rundherum, das ist nicht schwer.

TANZ, KINDLEIN, TANZ

Traditional
Arr.: Peter Herde

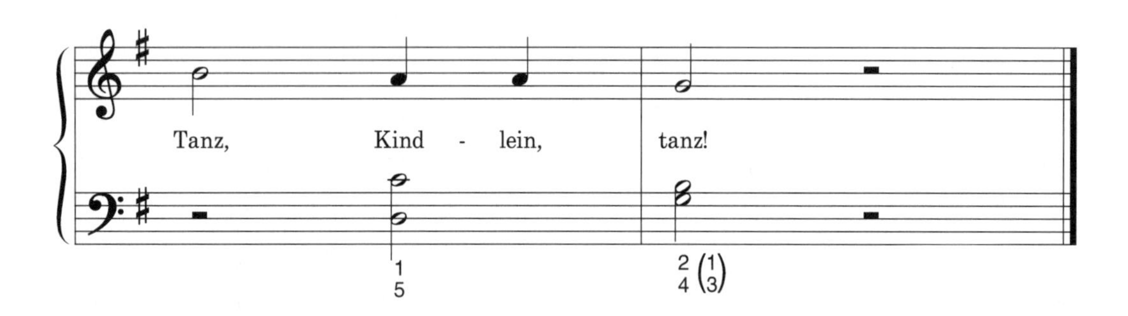

TALER, TALER, DU MUSST WANDERN

Traditional
Arr.: Peter Herde

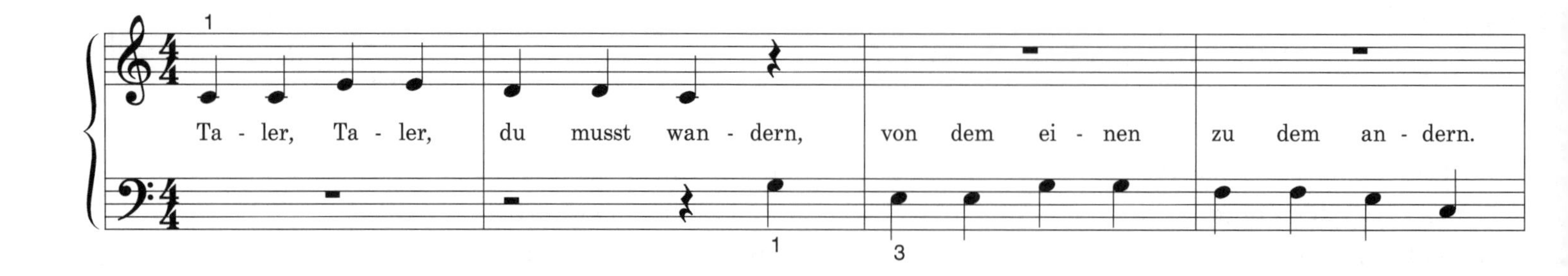

ZUM TANZE, DA GEHT EIN MÄDEL

Traditional
Arr.: Peter Herde

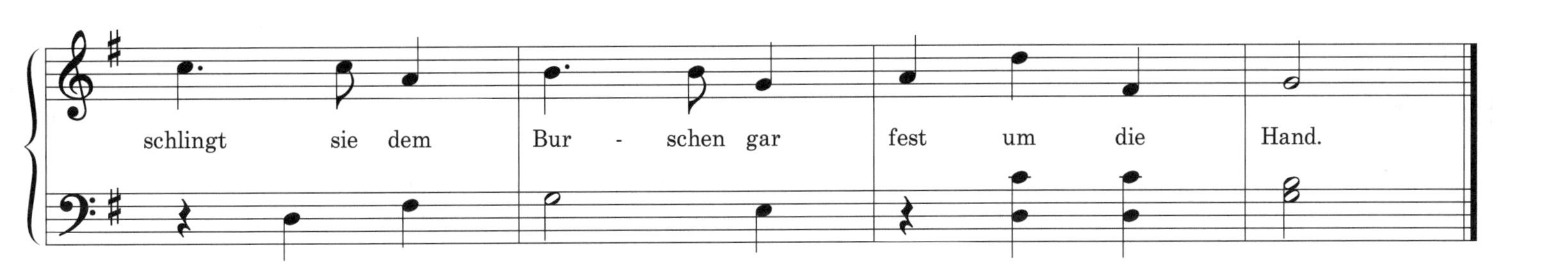

2. Ach herzallerliebstes Mädel, so lass mich doch los!
   Ich lauf dir gewisslich auch so nicht davon, ...

3. Kaum löset die schöne Jungfer das güldene Band,
   da war in den Wald schon der Bursche gerannt, ...

4. Drum haltet die jungen Burschen so fest wie es geht,
   sie nehmen sonst Reißaus, eh ihr euch's verseht, ...

SUR LE PONT D'AVIGNON

Traditional
Arr.: Peter Herde

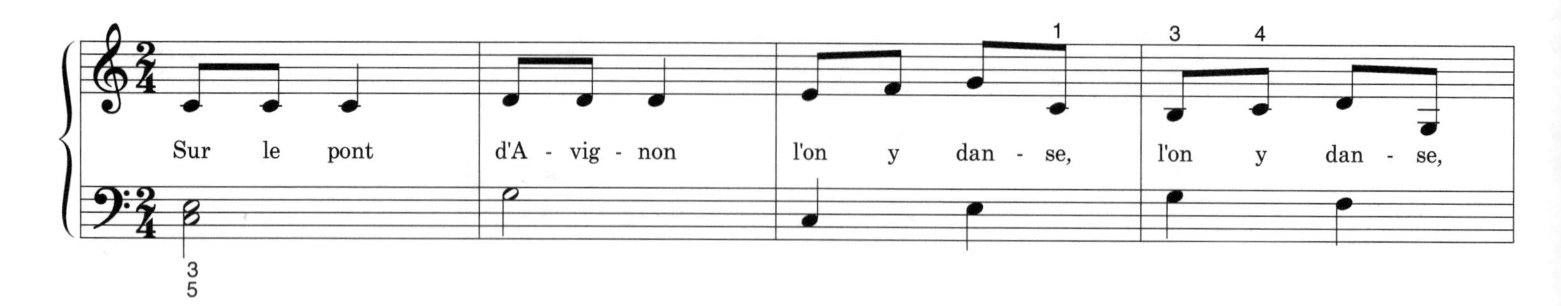

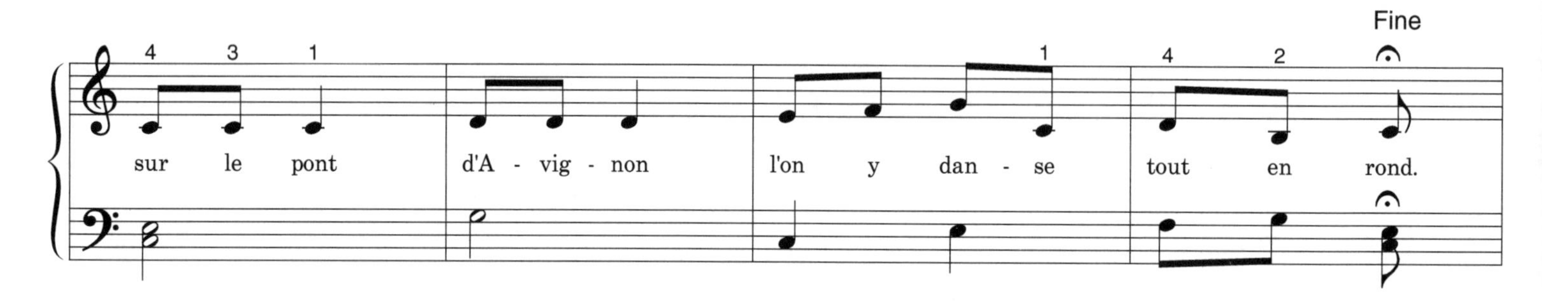

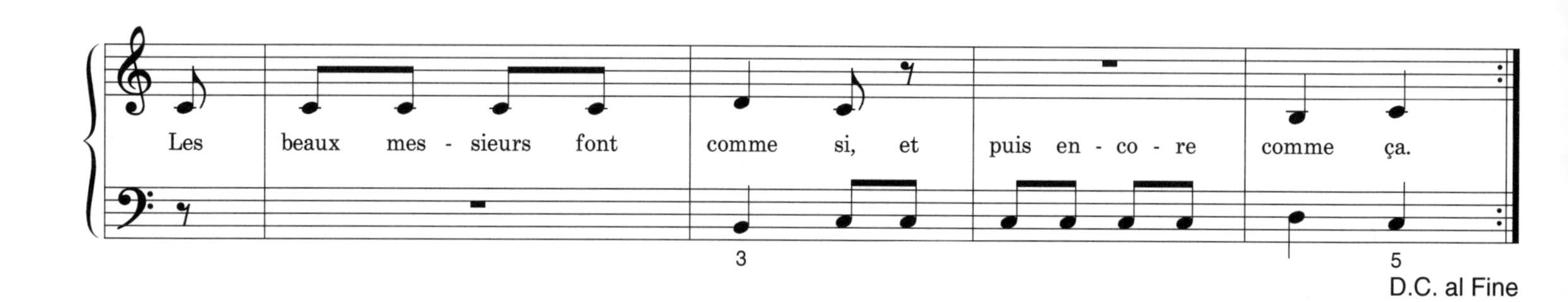

ES TANZT EIN BIBABUTZEMANN

M: Wenzel Müller
Arr.: Peter Herde

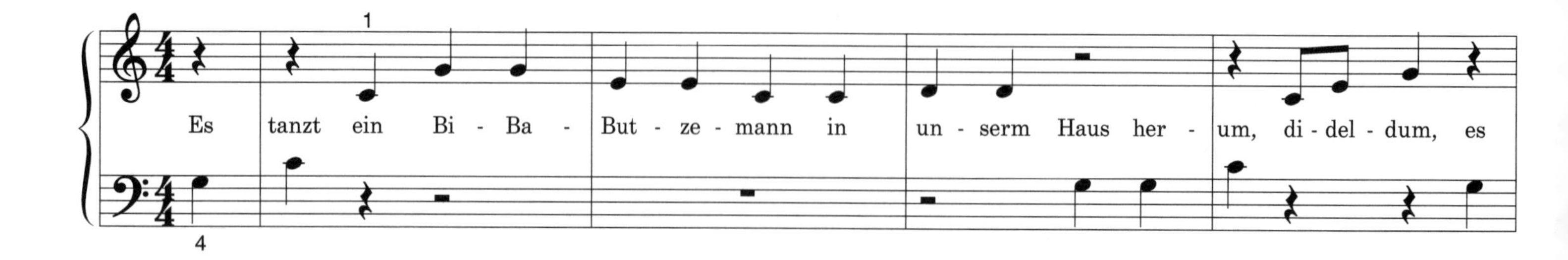

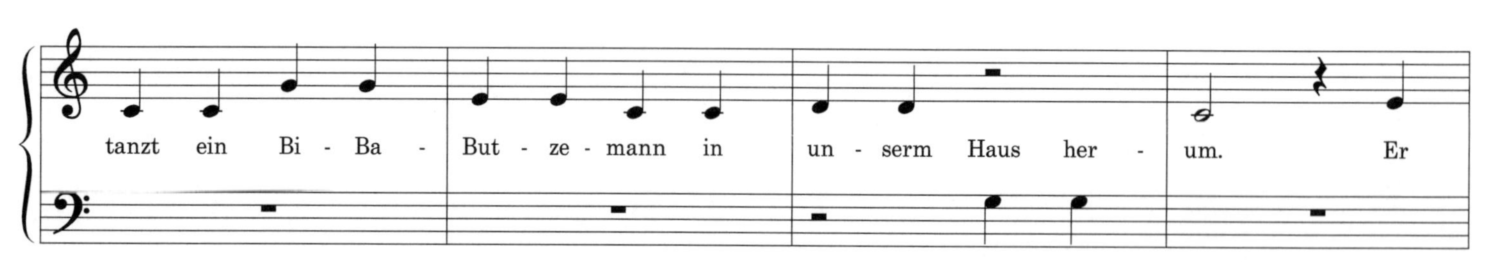

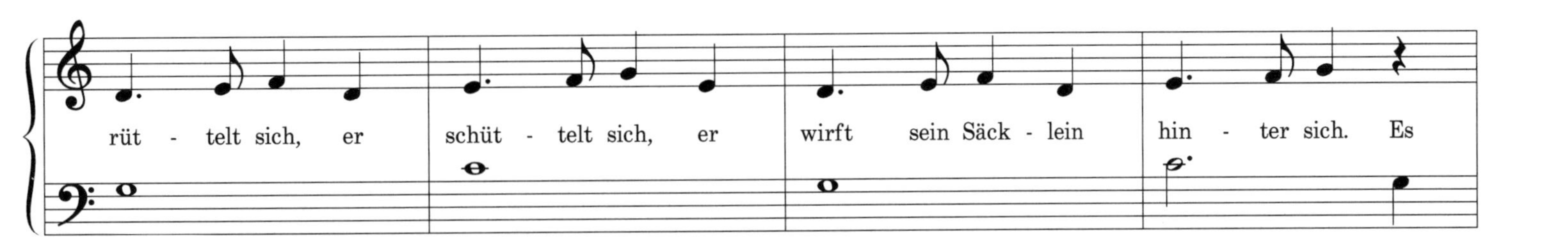

IHR LIEBEN BRÜDER MEIN, RUNDADINELLA

Traditional
Arr.: Peter Herde

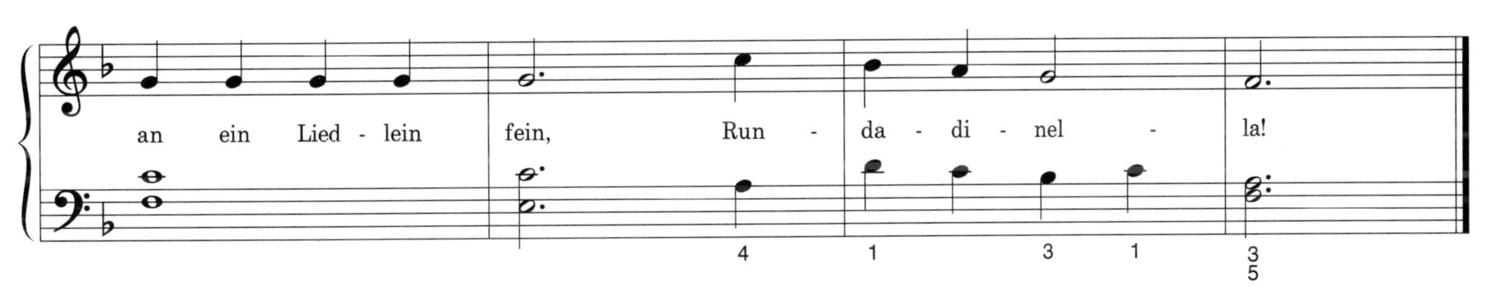

2. Ist jemand in dem Kreis,
Rundadinella
Der eins zu singen weiß?
Rundadinella!

ALOUETTE, GENTILLE ALOUETTE

Traditional
Arr.: Peter Herde

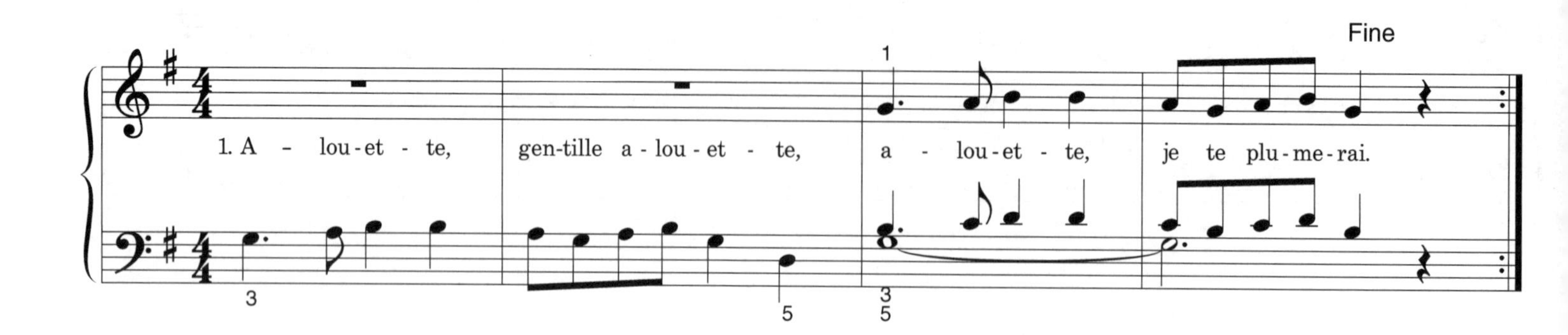

2. Alouette, gentille alouette, alouette, je te plumerai.
Je te plumerai le bec, je te plumerai le bec,
et le bec, et le bec; et la tête, et la tête; alouett', alouett', ah!

3. ... les yeux ...

4. ... le cou ...

5. ... le dos ...

6. ... les ailes ...

7. ... les pattes ...

8. ... da queue ...

ES GEHT EINE ZIPFELMÜTZ' IN UNSERM KREIS HERUM

M: Wenzel Müller
T: Traditional
Arr.: Peter Herde

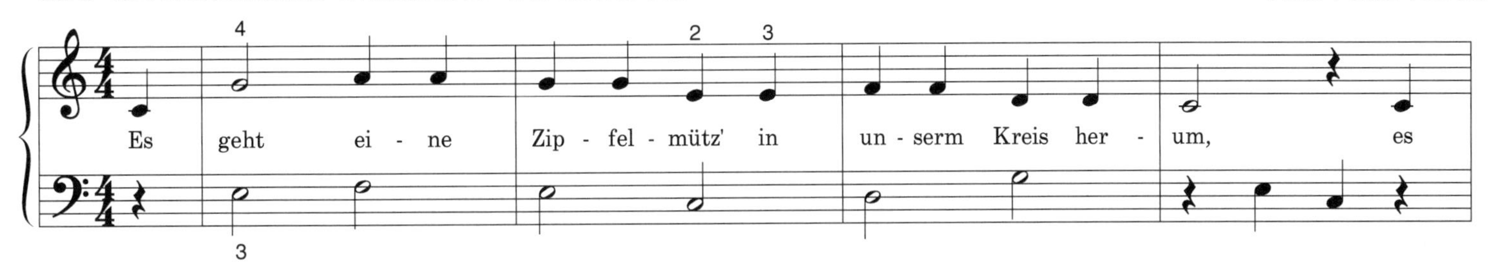

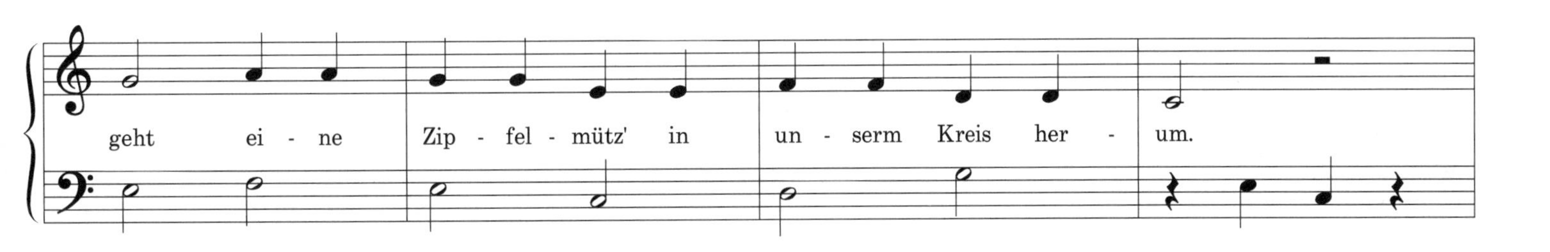

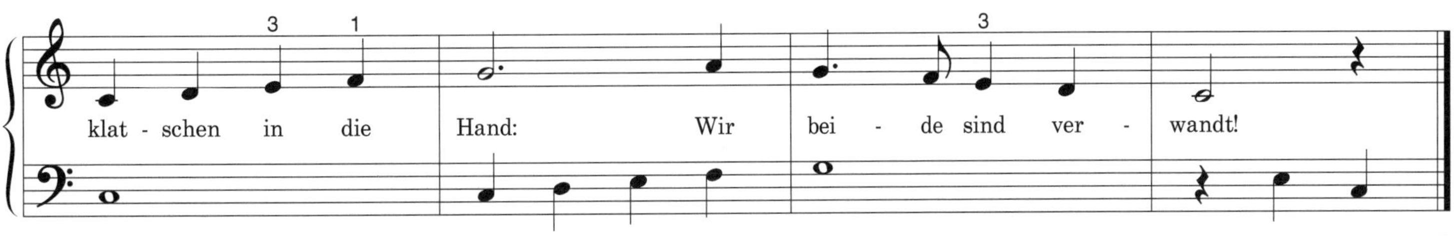

SPANNENLANGER HANSEL, NUDELDICKE DIRN

Traditional
Arr.: Peter Herde

2. „Lauf doch nicht so eilig, spannenlanger Hans!
Ich verlier die Birnen und die Schuh' noch ganz."
„Trägst ja nur die kleinen, nudeldicke Dirn,
und ich schlepp den schweren Sack mit den großen Birn'."

HANS HAT HOSEN AN UND DIE SIND BUNT

Traditional

Arr.: Peter Herde

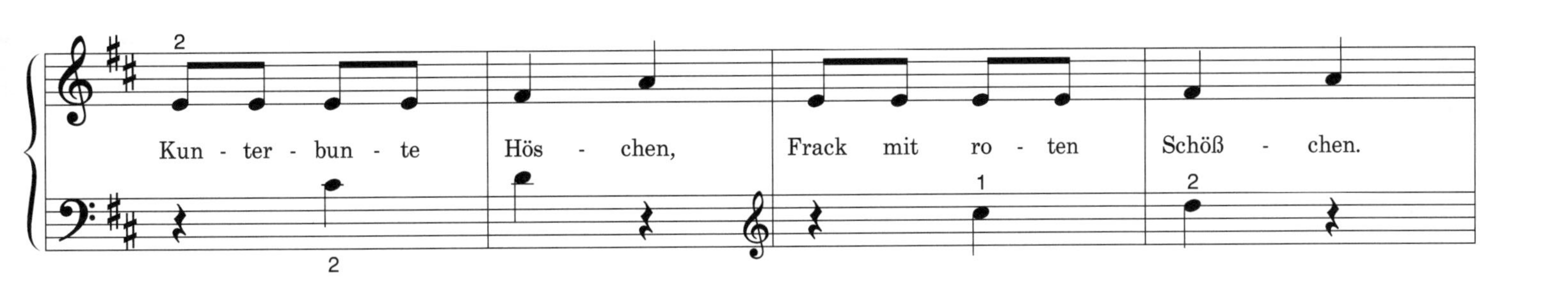

IF YOU'RE HAPPY AND YOU KNOW IT

Traditional
Arr.: Peter Herde

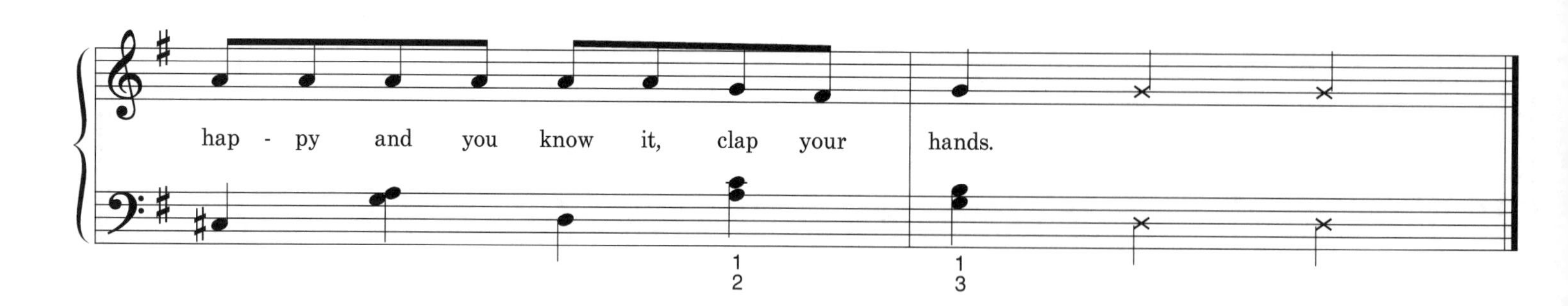

2. If you're happy and you know it, snap your fingers ...

3. If you're happy and you know it, stomp your feet ...

4. If you're happy and you know it, shout: Okay! ...

DIE KLEINE HEX'

M: Peter Herde
T: Traditional
Arr.: Peter Herde

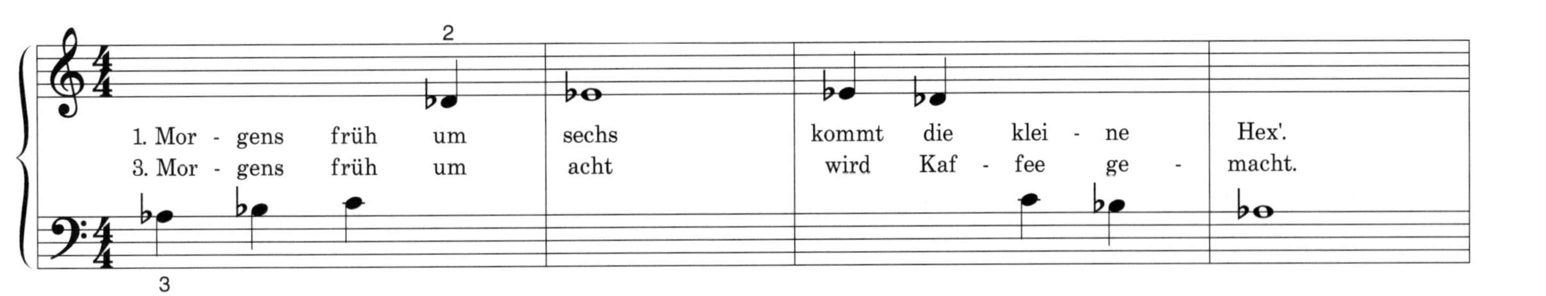

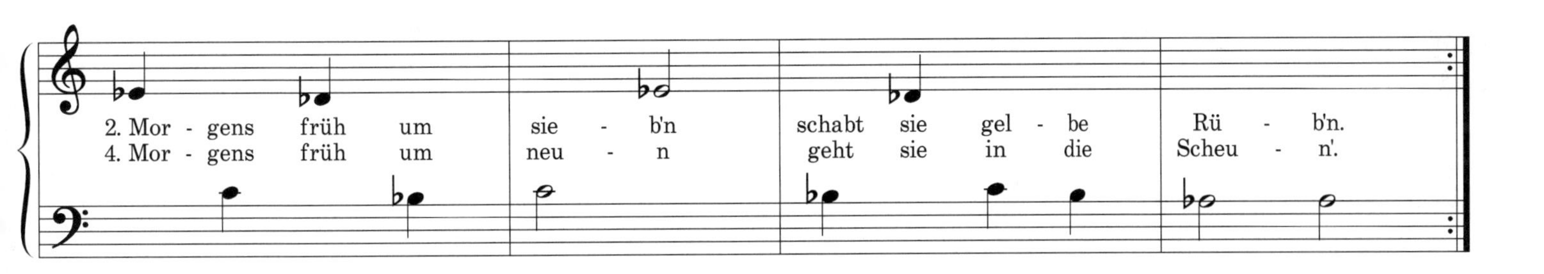

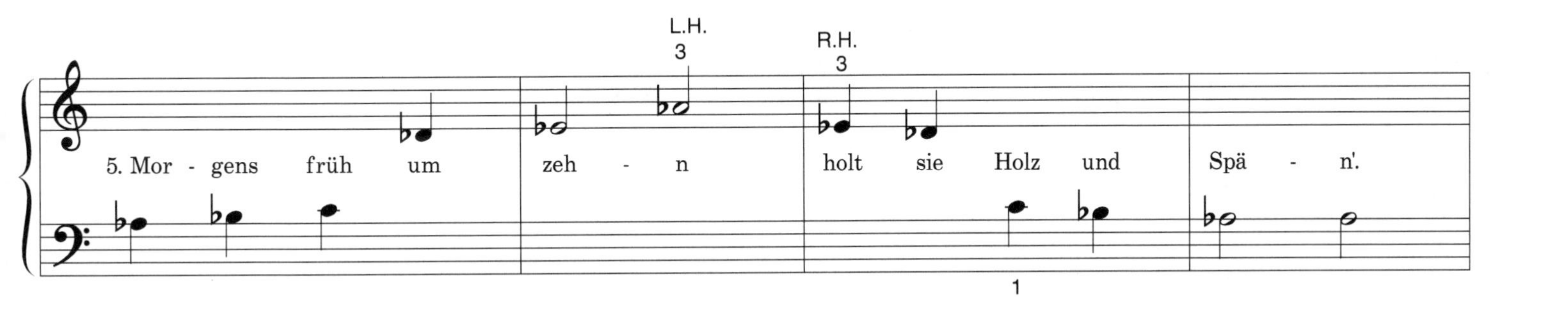

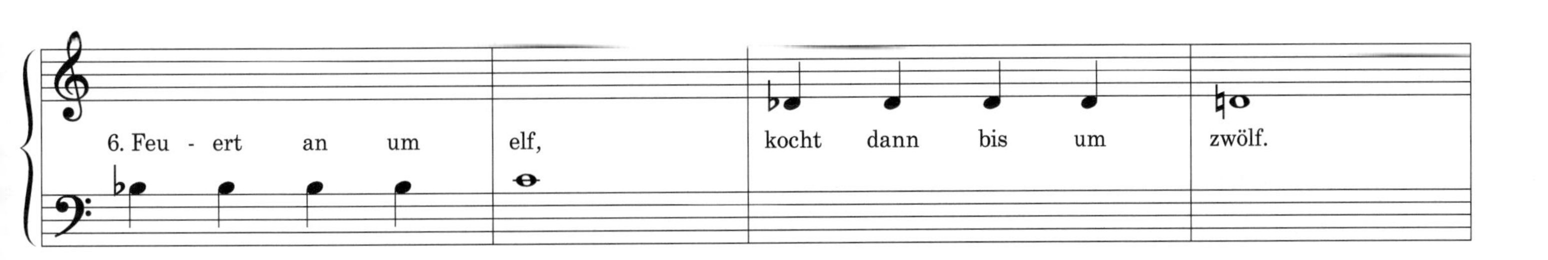

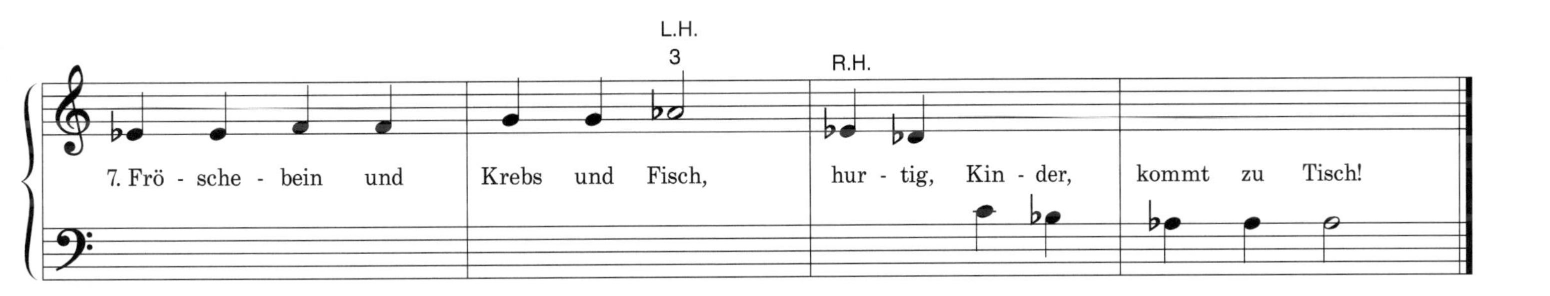

ZEIGT HER EURE FÜSSCHEN

M: Traditional
T: Albert Methfessel
Arr.: Peter Herde

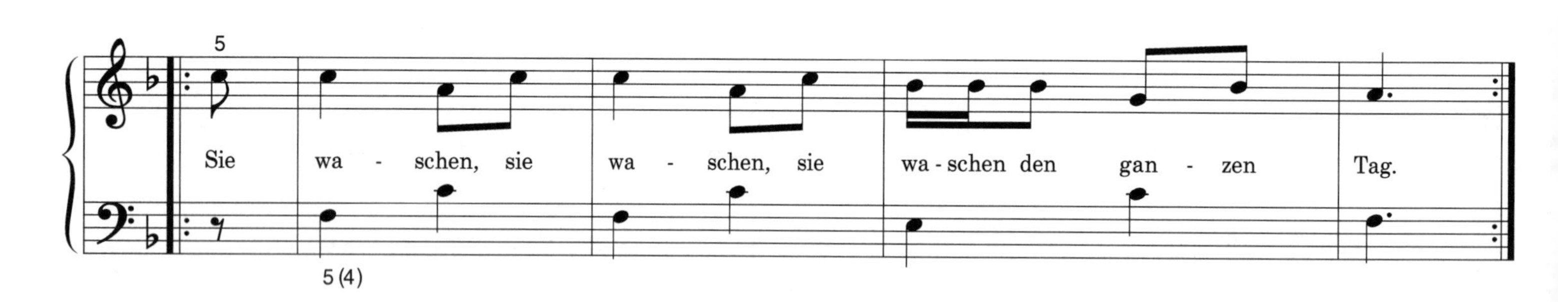

2. ... Sie spülen ...

3. ... Sie wringen ...

4. ... Sie hängen ...

5. ... Sie legen ...

6. ... Sie bügeln ...

7. ... Sie ruhen ...

8. ... Sie tanzen ...

EINE KLEINE DICKMADAM

Traditional
Arr.: Peter Herde

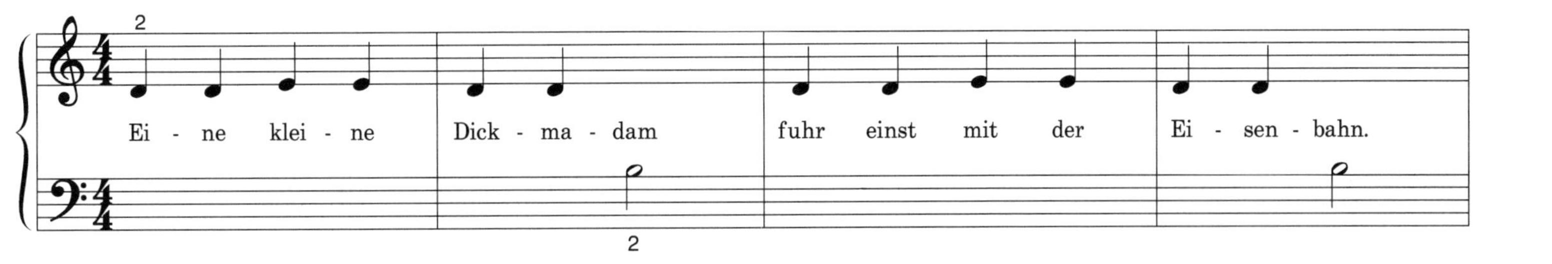

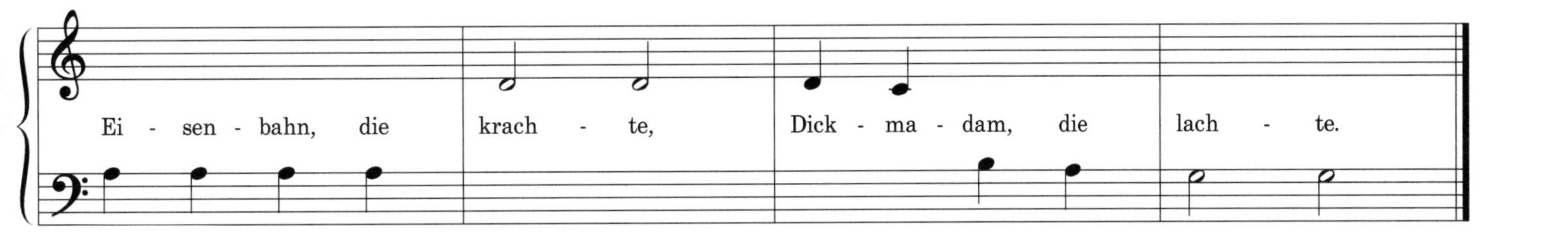

FROH ZU SEIN BEDARF ES WENIG

M+T: Heinrich L. A. Mühling
Arr.: Peter Herde

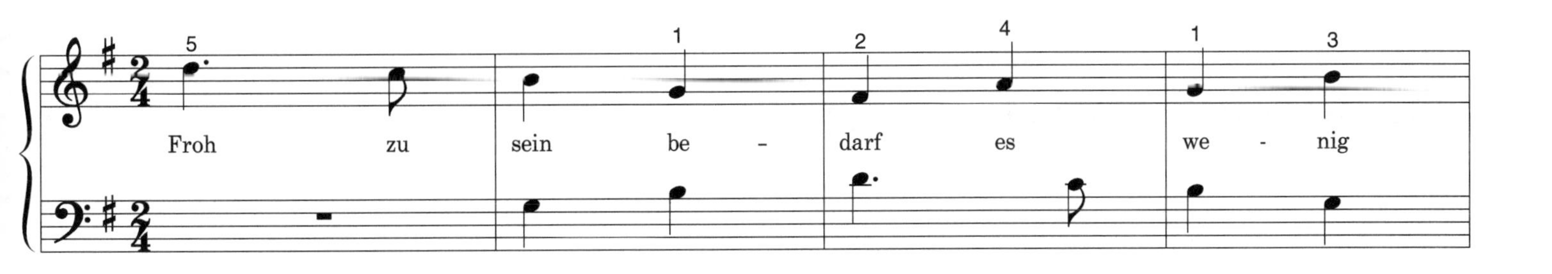

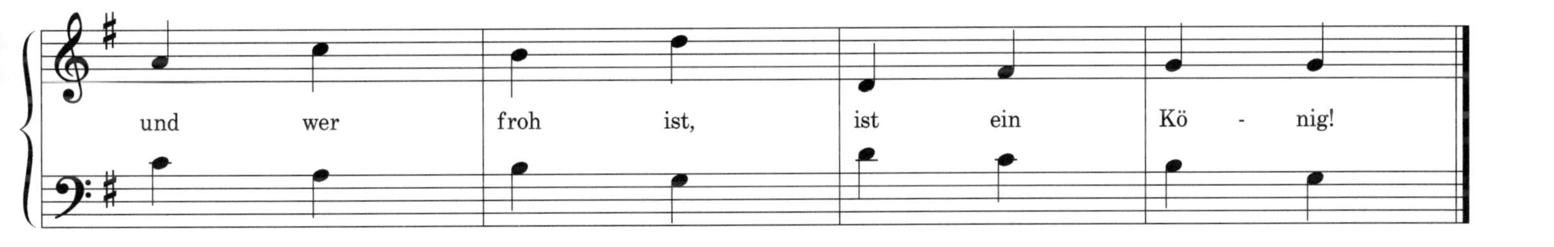

RI, RA, RUTSCH, WIR FAHREN MIT DER KUTSCH'

Traditional
Arr.: Peter Herde

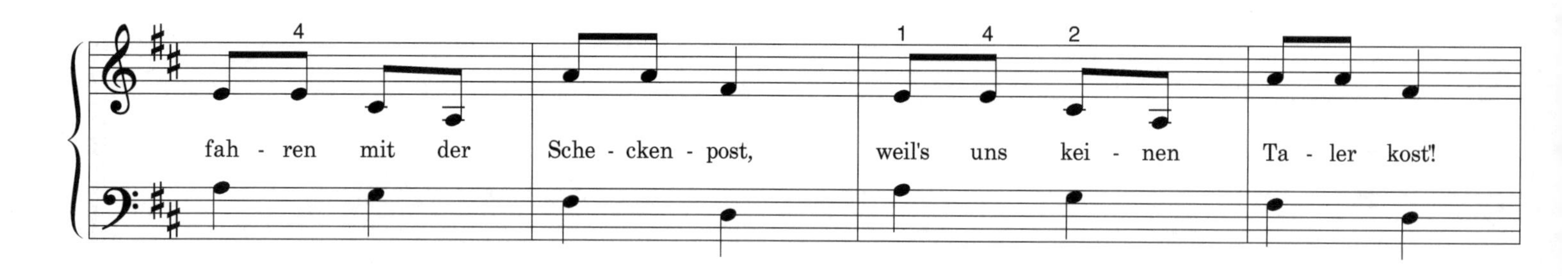

ICH UND DU, MÜLLERS KUH

Traditional
Arr.: Peter Herde

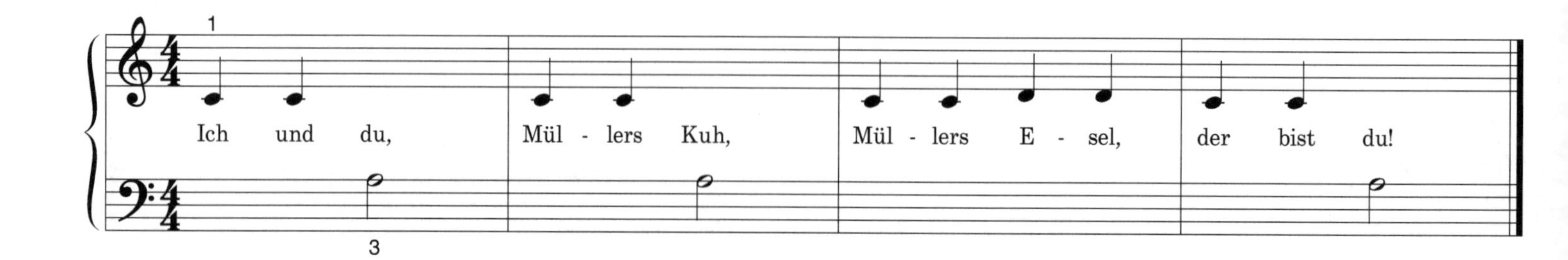

WENN DER TOPF ABER NUN EIN LOCH HAT

Traditional
Arr.: Peter Herde

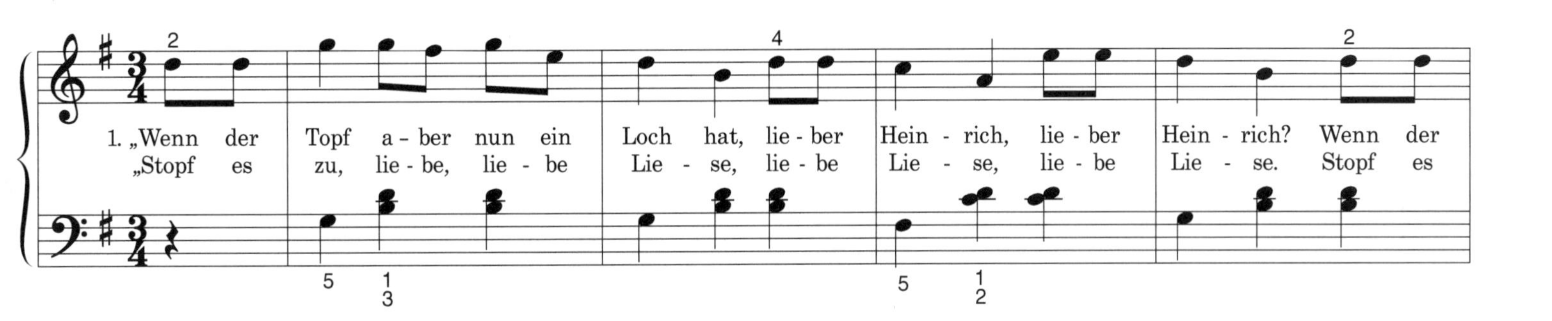

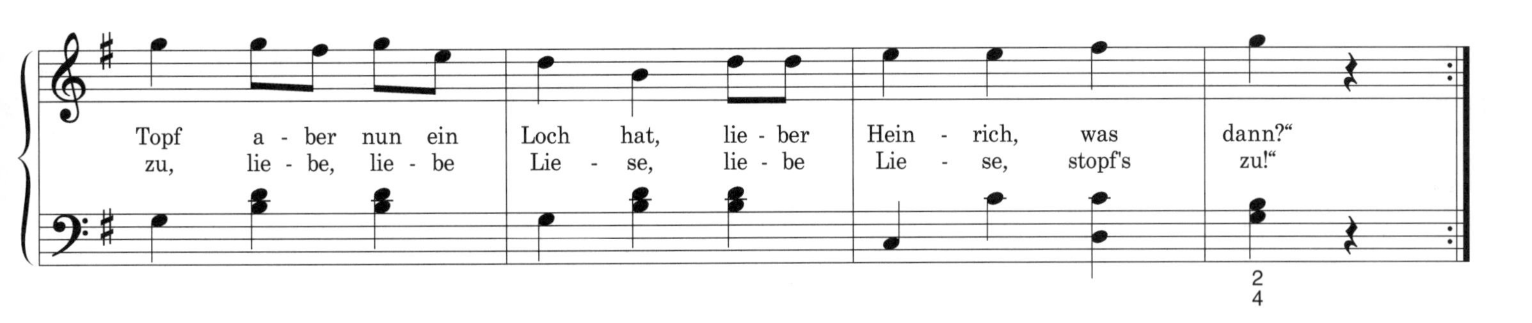

2. „Womit soll ich's denn aber stopfen ...“
„Mit Stroh ...“

3. „Wenn das Stroh aber nun zu lang ist ...“
„Hau es ab ...“

4. „Womit soll ich es aber abhauen ...“
„Mit dem Beil ...“

5. „Wenn das Beil aber nun zu stumpf ist ...“
„Mach es scharf ...“

6. „Womit soll ich es aber schärfen ...“
„Mit dem Stein ...“

7. „Wenn der Stein aber nun zu trocken ist ...“
„Mach ihn nass ...“

8. „Womit soll ich ihn aber nass machen ...“
„Mit Wasser ...“

9. „Womit soll ich das Wasser holen ...“
„Mit dem Topf ...“

10. „Wenn der Topf aber nun ein Loch hat ...“
„Lass es sein ...“

MEIN HUT, DER HAT DREI ECKEN

Traditional
Arr.: Peter Herde

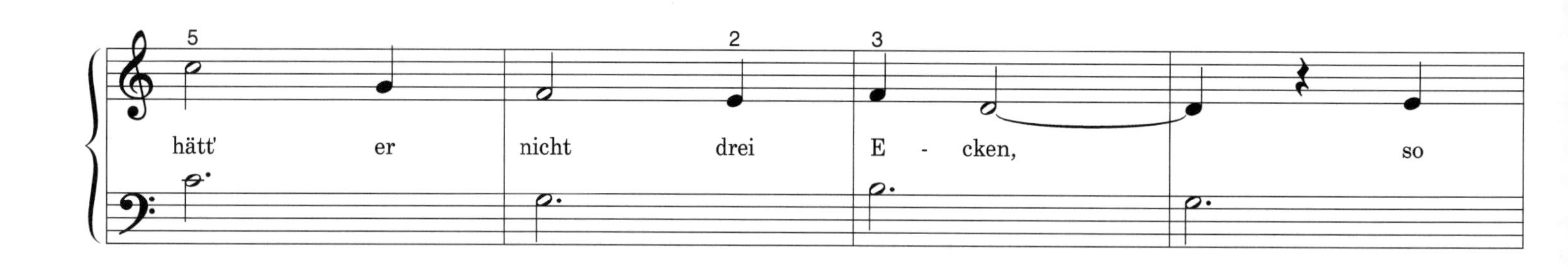

2. Mein Hut, der hat drei Löcher,
drei Löcher hat mein Hut.
Und hätt' er nicht drei Löcher,
so wär es nicht mein Hut.

3. Mein Hut, der hat drei Flecken,
drei Flecken hat mein Hut.
Und hätt' er nicht drei Flecken,
so wär es nicht mein Hut.

MEINE OMA FÄHRT IM HÜHNERSTALL MOTORRAD

M: Robert Steidl
T: anonym
Arr.: Peter Herde

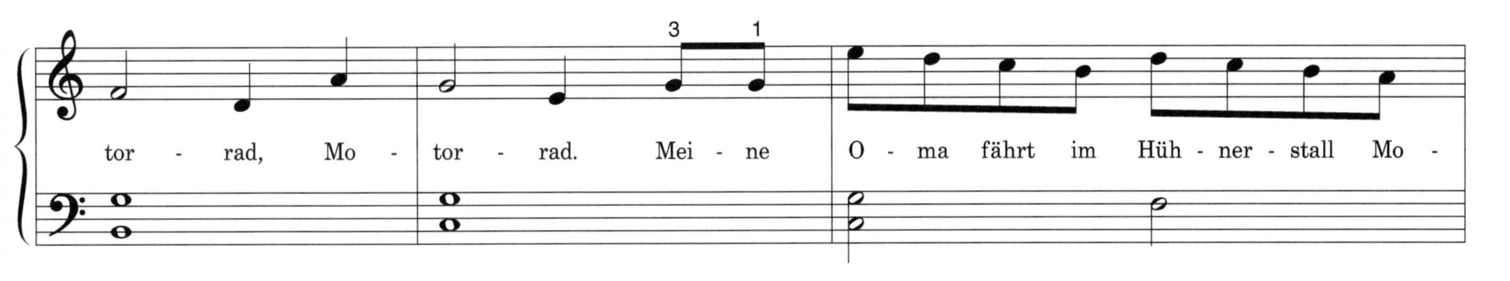

2. Meine Oma geht in Lederhos' zur Disco,
zur Disco, zur Disco.
Meine Oma geht in Lederhos' zur Disco,
meine Oma ist 'ne ganz patente Frau, jawohl!

EIN MANN, DER SICH KOLUMBUS NANNT'

Traditional
Arr.: Peter Herde

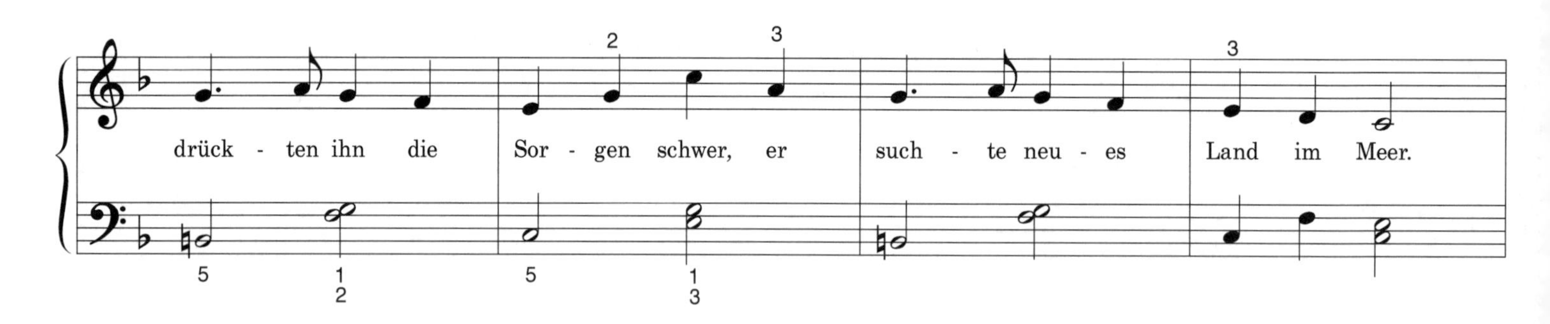

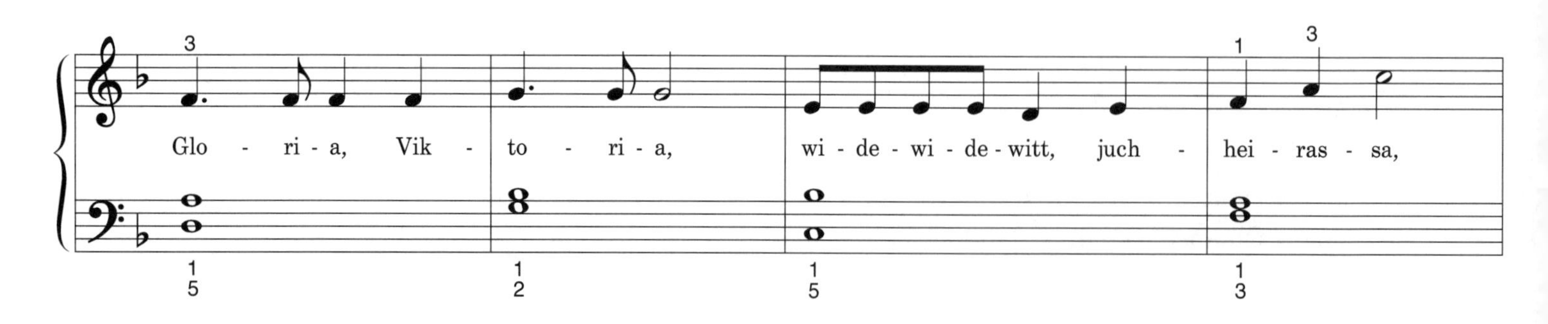

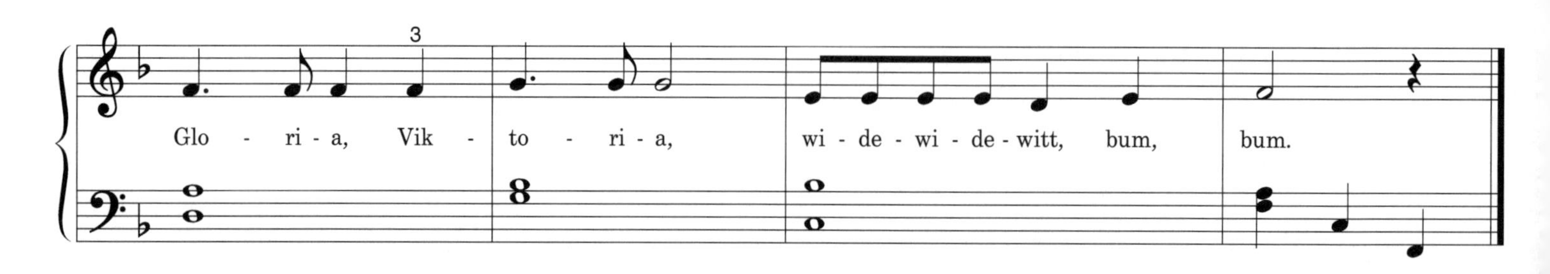

2. Als er den Morgenkaffee trank, wi-de-wi-de-witt, bum, bum,
   da sprang er fröhlich von der Bank, wi-de-wi-de-witt, bum, bum.
   Denn schnell kam mit der ersten Tram,
   der span'sche König bei ihm an.
   Gloria, Viktoria, ...

3. „Kolumbus", sprach er, „lieber Mann, wi-de-wi-de-witt, bum, bum,
   du hast schon manche Tat getan, wi-de-wi-de-witt, bum, bum.
   Eins fehlt noch unsrer Gloria,
   entdecke mir Amerika!"
   Gloria, Viktoria, ...

4. Gesagt, getan, ein Mann, ein Wort, wi-de-wi-de-witt, bum, bum,
   am selben Tag fuhr er noch fort, wi-de-wi-de-witt, bum, bum.
   Und eines Morgens schrie er: „Land!
   Wie deucht mir alles so bekannt!"
   Gloria, Viktoria, ...

5. Das Volk an Land stand stumm und zag, wi-de-wi-de-witt, bum, bum,
   da sagt Kolumbus: „Guten Tag, wi-de-wi-de-witt, bum, bum,
   ist hier vielleicht Amerika?"
   Da riefen die Indianer: „Ja!"
   Gloria, Viktoria, ...

DIE TIROLER SIND LUSTIG

Traditional
Arr.: Peter Herde

2. Die Tiroler sind lustig, die Tiroler, die sind froh,
 sie verkaufen ihr Bettchen und schlafen im Stroh.

3. Die Tiroler sind lustig, die Tiroler, die sind froh,
 sie nehmen ein Weibchen und tanzen dazu.

4. Die Tiroler sind lustig, die Tiroler, die sind froh,
 dann fassen sich beide und tanzen zusamm'.

MEINE TANTE AUS MAROKKO

Traditional
Arr.: Peter Herde

2. Und sie kommt auf zwei Kamelen, wenn sie kommt, hoppel hoppel ...

3. Und sie schießt mit zwei Pistolen, wenn sie kommt, piff paff ...

DREI CHINESEN MIT DEM KONTRABASS

Traditional
Arr.: Peter Herde

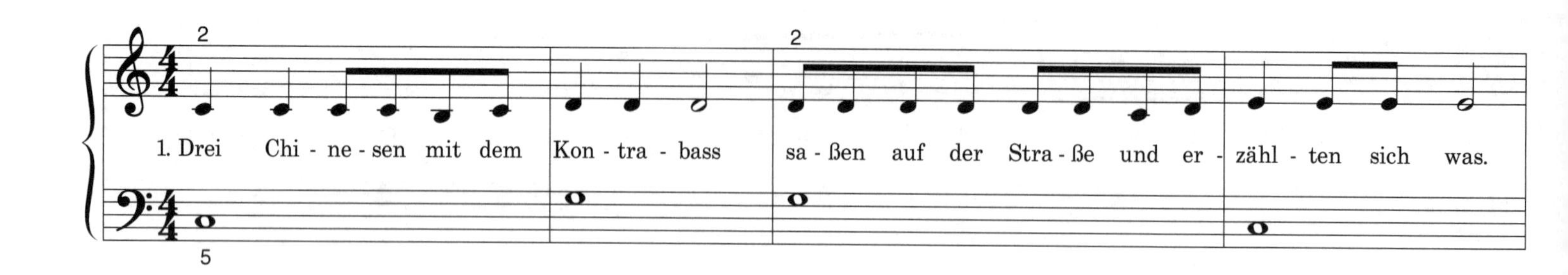

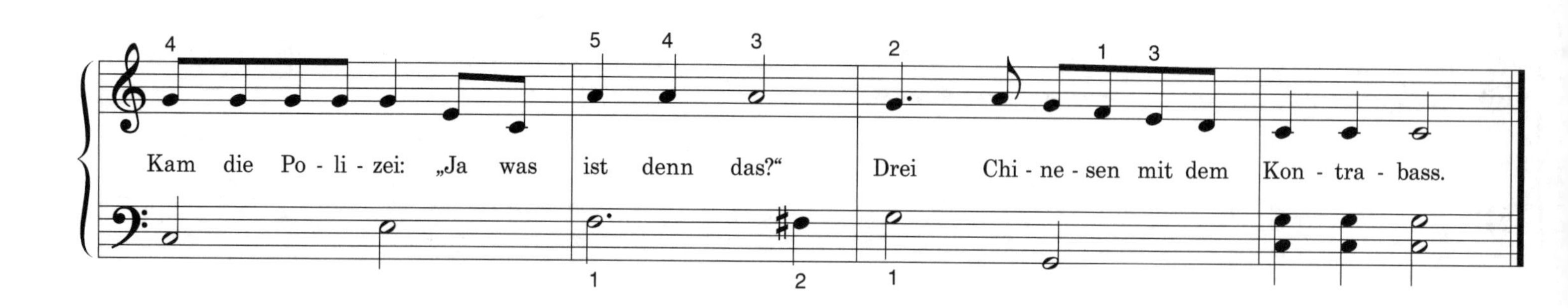

2. Dra Chanasan mat dam Kantrabass
   saßan af dar Straßa and arzahltan sach was.
   Kam da Palaza: „Ja, was ast dann das?“
   Dra Chanasan mat dam Kantrabass.

3. Dre Chenesen met dem Kentrebess
   seßen ef der Streße end erzehlten sech wes.
   Kem de Peleze: „Je, wes est denn des?“
   Dre Chenesen met dem Kentrebess.

etc.

AUF DER MAUER, AUF DER LAUER

Traditional
Arr.: Peter Herde

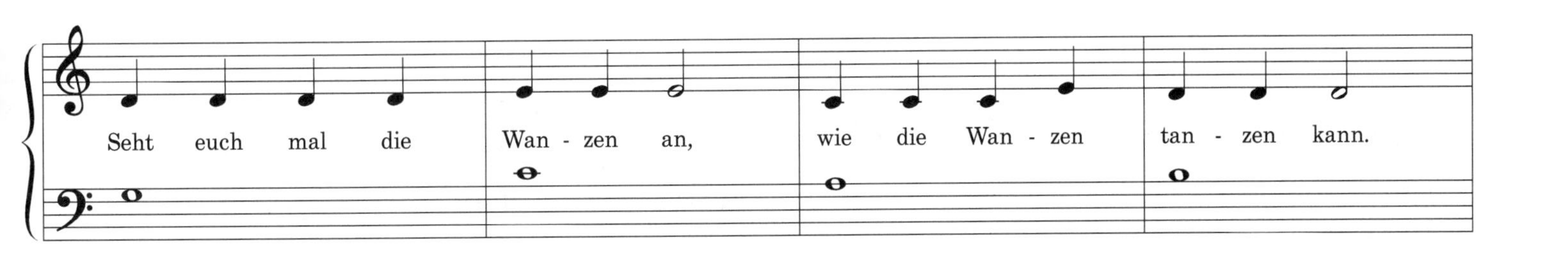

2. Auf der Mauer, auf der Lauer sitzt 'ne kleine Wanze'.
Auf der Mauer, auf der Lauer sitzt 'ne kleine Wanze'.
Seht euch mal die Wanze' an, wie die Wanze' tanze' kann.
Auf der Mauer, auf der Lauer sitzt 'ne kleine Wanze'.

3. Auf der Mauer, auf der Lauer sitzt 'ne kleine Wanz'.
Auf der Mauer, auf der Lauer sitzt 'ne kleine Wanz'.
Seht euch mal die Wanz' an, wie die Wanz' tanz' kann.
Auf der Mauer, auf der Lauer sitzt 'ne kleine Wanz.

ect.

7. Auf der Mauer, auf der Lauer sitzt 'ne kleine --.
Auf der Mauer, auf der Lauer sitzt 'ne kleine --.
Seht euch mal die -- an, wie die -- -- kann.
Auf der Mauer, auf der Lauer sitzt 'ne kleine --.

DIE AFFEN RASEN DURCH DEN WALD

Traditional
Arr.: Peter Herde

2. Die Affenmama sitzt am Fluss
und angelt sich 'ne Kokosnuss.
Die ganze Affenbande ...

3. Der Affenonkel, welch ein Graus,
reißt alle Urwaldbäume aus.
Die ganze Affenbande ...

4. Die Affentante kommt von fern,
sie isst die Kokosnuss so gern.
Die ganze Affenbande ...

5. Der Affenmilchmann, dieser Knilch,
der wartet auf die Kokosmilch.
Die ganze Affenbande ...

6. Das Affenbaby, voll Genuss,
hält in der Hand die Kokosnuss.
Die ganze Affenbande brüllt:
„Da ist die Kokosnuss, da ist die Kokosnuss,
es hat die Kokosnuss geklaut!"

7. Die Affenoma schreit: „Hurra!
Die Kokosnuss ist wieder da!"
Die ganze Affenbande ...

8. Und die Moral von der Geschicht:
Klaut keine Kokosnüsse nicht.
Weil sonst die ganze Bande brüllt:
„Wo ist die Kokosnuss, wo ist die Kokosnuss,
wer hat die Kokosnuss geklaut?"

Abend – Morgen
In the Evening – In the Morning

HUSH LITTLE BABY

Traditional
Arr.: Carlos Molino

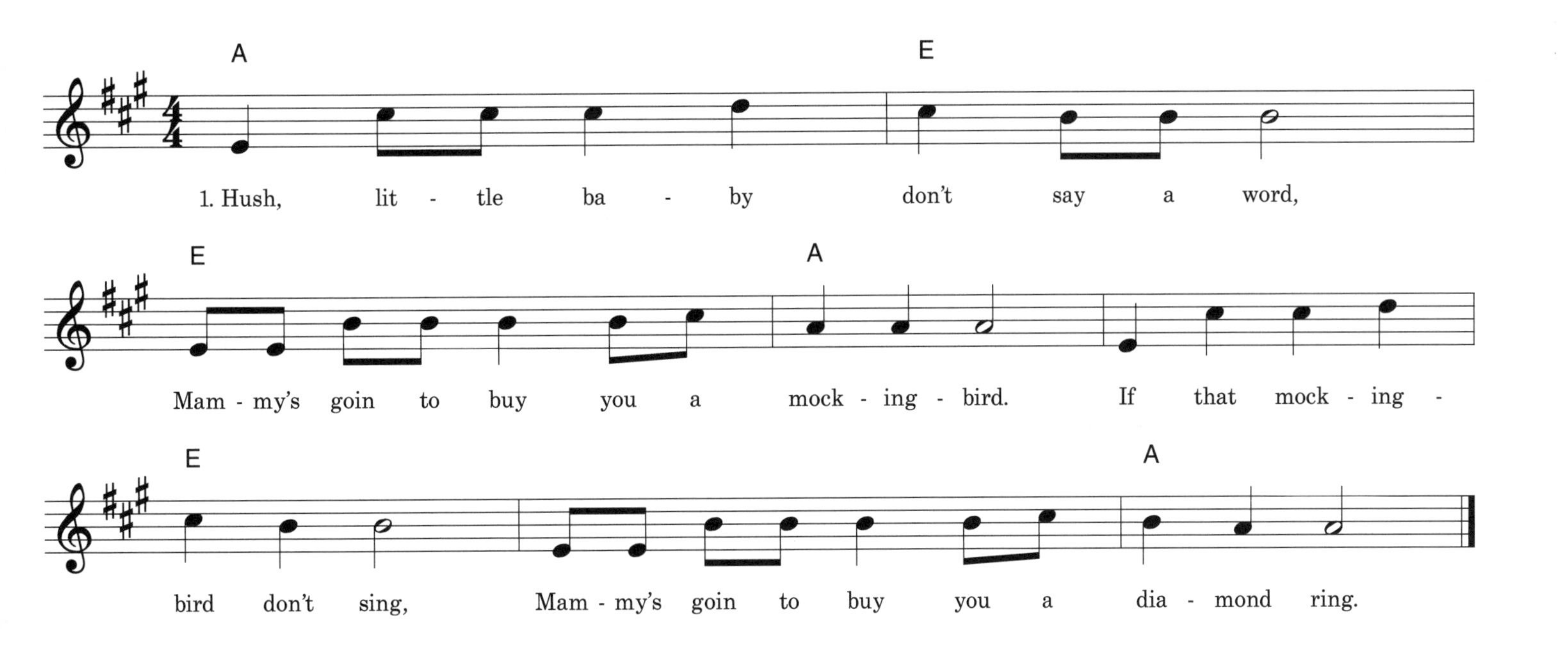

2. If that diamond ring turns brass,
Mama's goin' buy you a looking glass.
If that looking glass gets broke,
Mama's goin' to buy you a billy goat.

3. If that billy goat won't pull,
Mama's goin' to buy you a cart and bull.
If that cart and bull turn over,
mama's goin' to buy you a dog named Rover.

4. If that dog named Rover don't bark,
Mama's goin' to buy you a horse and cart.
If that horse and cart fall down,
you're still the sweetest girl (boy) in town.

IN DIE SCHULE MUSS ICH GEH'N

Peter Herde

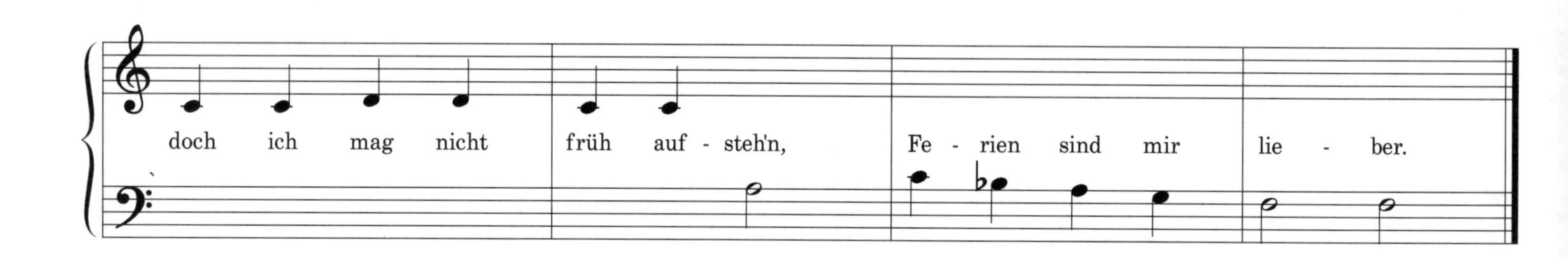

GUTEN MORGEN, LIEBE KINDER

M: Traditional
T/Arr.: Peter Herde

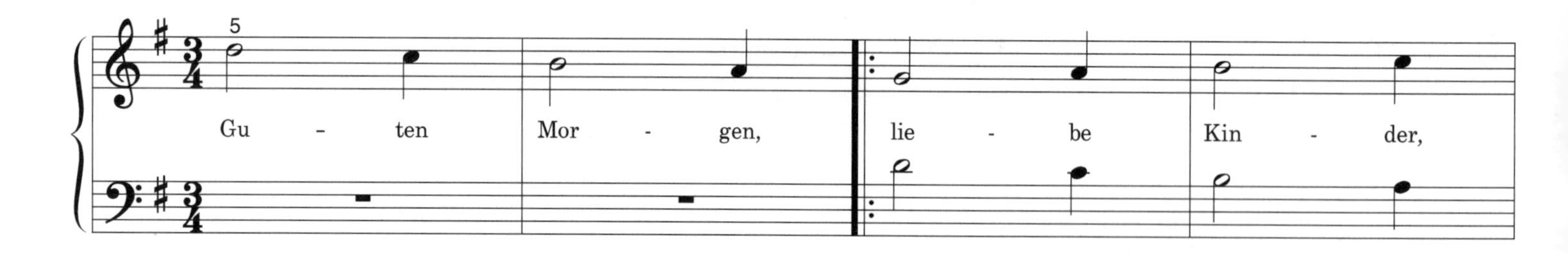

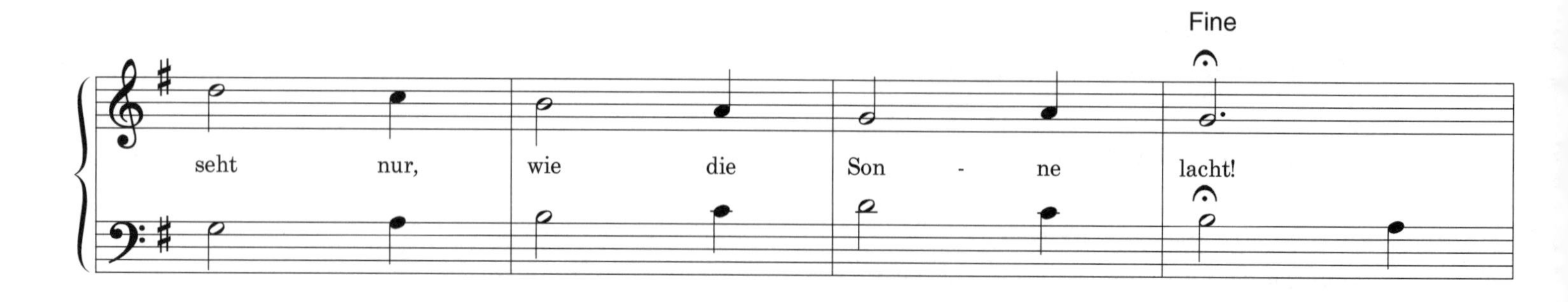

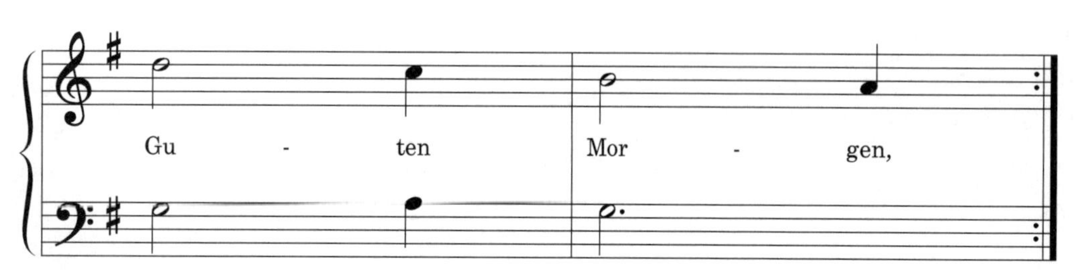

WACHET AUF, KRÄHET DER HAHN

M: Johann Jakob Wachsmann
T: Traditional
Arr.: Peter Herde

HEVENU SHALOM ALJECHEM

Traditional
Arr.: Peter Herde

JETZT STEIGT HAMPELMANN AUS SEINEM BETT HERAUS

Traditional
Arr.: Peter Herde

2. Jetzt zieht Hampelmann ... sich seine Strümpfe an.

3. Jetzt zieht Hampelmann ... sich seine Hose an.

4. Jetzt zieht Hampelmann ... sich seine Jacke an.

5. Jetzt setzt Hampelmann ... sich seine Mütze auf.

6. Jetzt tanzt Hampelmann ... mit seiner lieben Frau.

7. Er lacht „hahaha“, sie lacht „hahaha“,
er lacht „hahaha“, der Hampelmann ist da.

BRUDER JAKOB, SCHLÄFST DU NOCH?

Traditional
Arr.: Peter Herde

MORNING HAS BROKEN

Traditional
Arr.: Peter Herde

ALLE LEUT' GEH'N JETZT NACH HAUS

Traditional
Arr.: Peter Herde

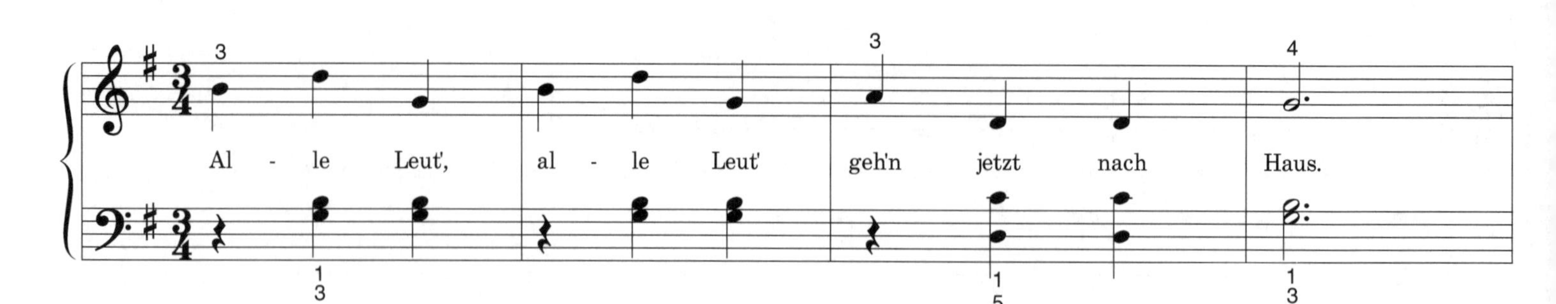

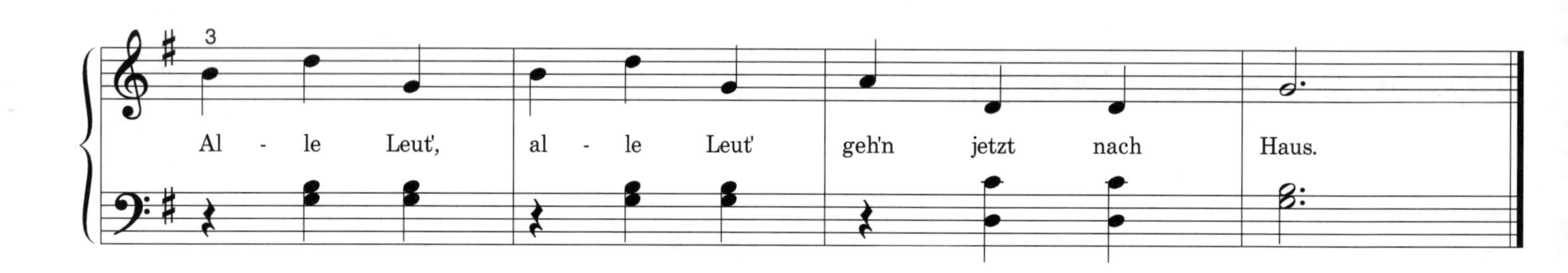

SHALOM CHAVERIM

Traditional
Arr.: Peter Herde

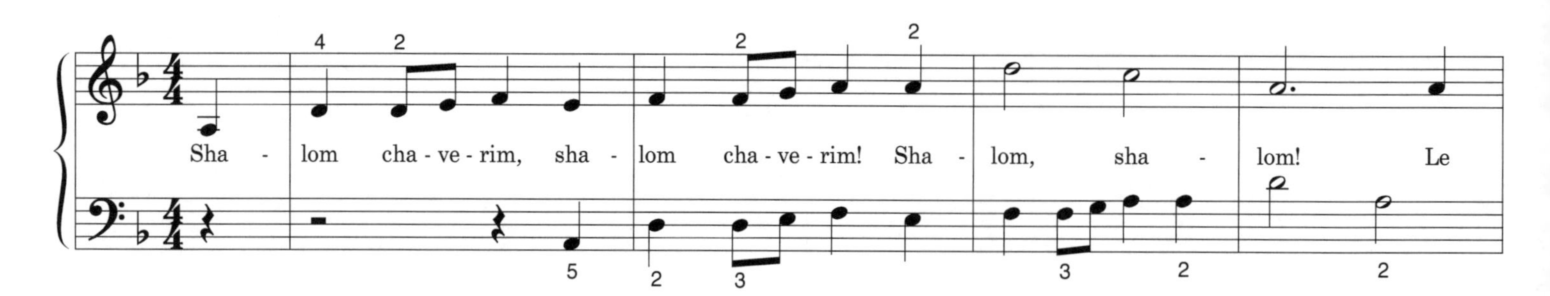

GESTERN ABEND GING ICH AUS

Traditional
Arr.: Peter Herde

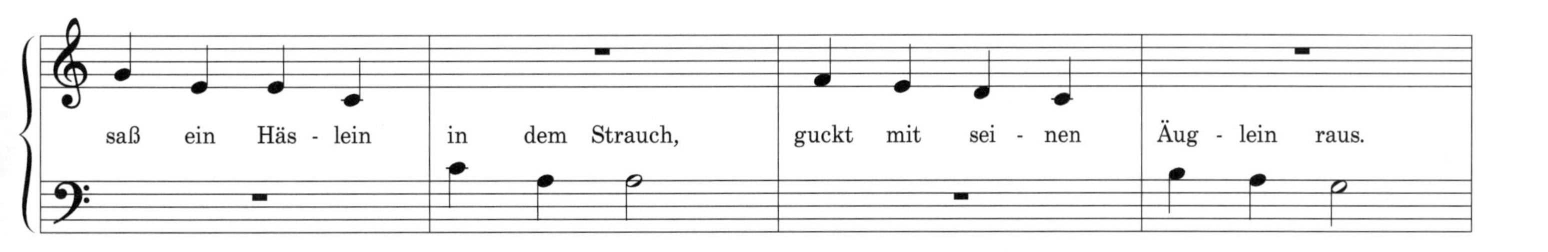

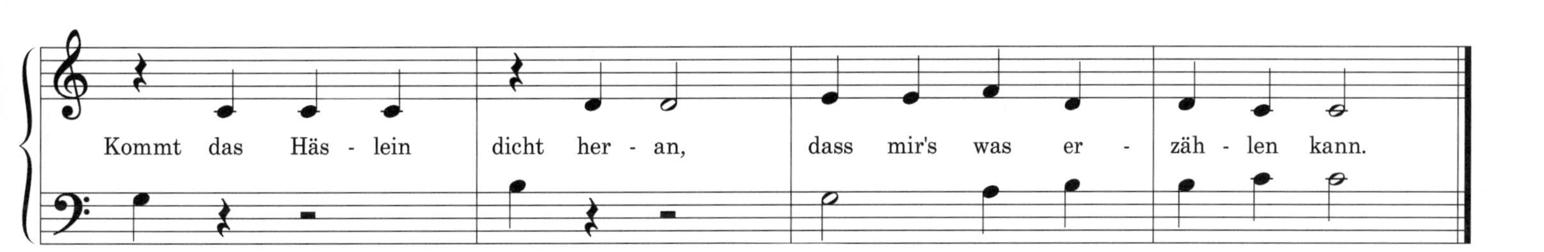

2. Bist du nicht der Jägersmann,
hetzt auf mich die Hunde an?
Wenn dein Windspiel mich ertappt,
hast du, Jäger, mich erschnappt.
Wenn ich an mein Schicksal denk‘,
ich mich recht von Herzen kränk‘.

3. Armes Häslein bist so blass,
geh‘ dem Bauer nicht ins Gras!
Geh‘ dem Bauer nicht ins Kraut,
sonst bezahlst du mit der Haut!
Sparst dir manch‘ Not und Pein,
kannst mit Lust ein Häslein sein.

SCHWESTERLEIN, WANN GEH'N WIR NACH HAUS?

M+T: Anton Wilhelm F. v. Zuccalmaglio
Arr.: Peter Herde

2. „Schwesterlein, Schwesterlein, wann geh'n wir nach Haus?"
Früh, wenn der Tag anbricht, eh' end't die Freude nicht;
Brüderlein, Brüderlein, der fröhliche Braus.

3. Schwesterlein, Schwesterlein, wohl ist es nun Zeit!
Mein Liebster tanzt mit mir, geh' ich, tanzt er mit ihr;
Brüderlein, Brüderlein, lass du mich heut'!

4. Schwesterlein, Schwesterlein, du bist ja so blass?
Das ist der Morgenschein auf meinen Wängelein;
Brüderlein, Brüderlein, die vom Taue nass.

5. Schwesterlein, Schwesterlein, du schwankest so matt!
Suche die Kammertür, suche mein Bettlein mir!
Brüderlein, es wird fein unterm Rasen sein!

ABEND WIRD ES WIEDER

M: Johann Christian Heinrich Rinck
T: A. H. Hoffmann v. Fallersleben
Arr.: Peter Herde

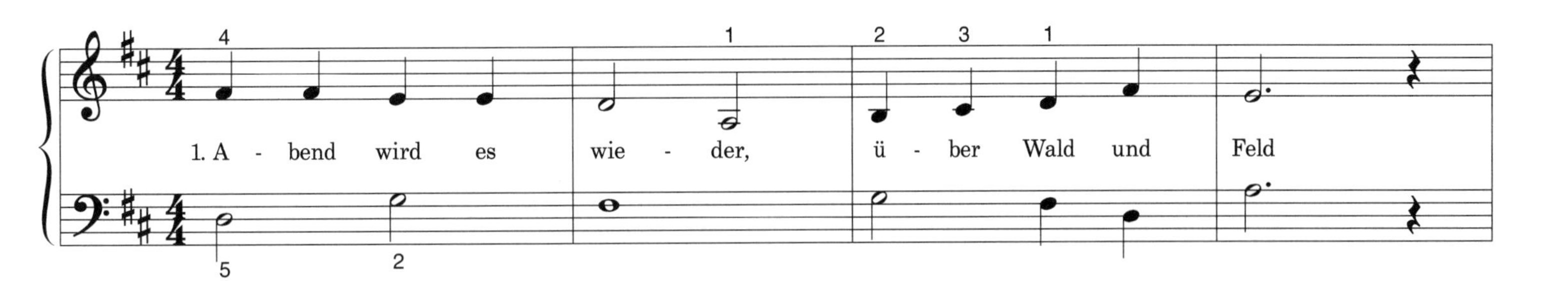

2. Nur der Bach ergießet
sich am Felsen dort,
und er braust und fließet
immer, immer fort.

3. Und kein Abend bringet
Frieden ihm und Ruh,
keine Glocke klinget
ihm ein Rastlied zu.

NUN WOLLEN WIR SINGEN DAS ABENDLIED

Traditional
Arr.: Peter Herde

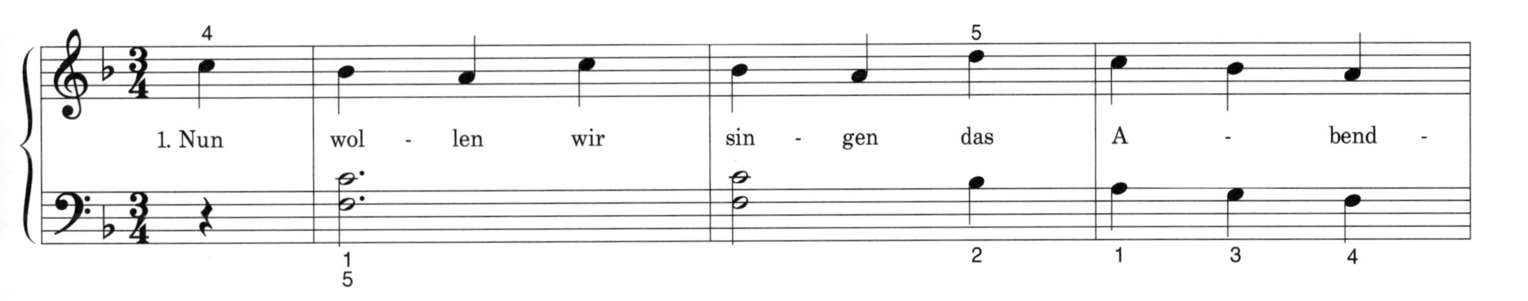

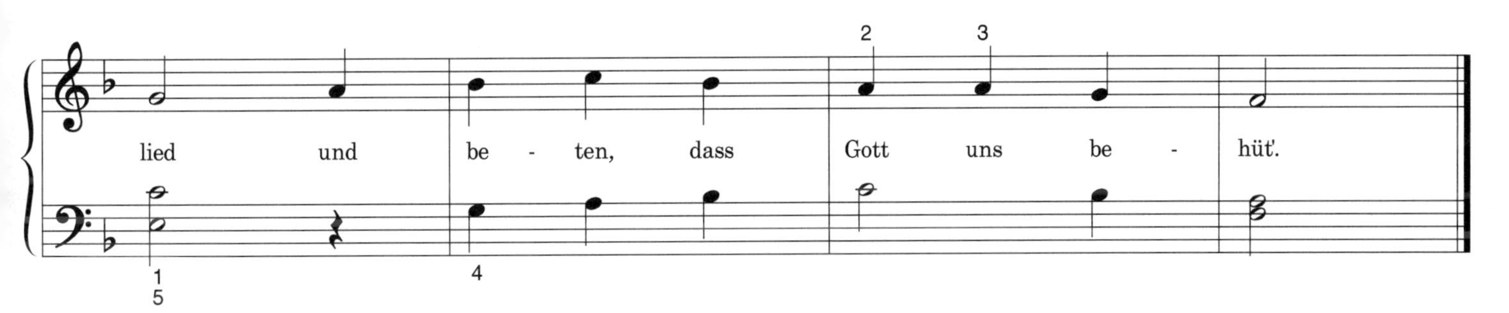

2. Es weinen viel' Augen wohl jegliche Nacht,
bis morgens die Sonne erwacht.

3. Es wandern viel Sternlein am Himmelsrund,
wer sagt ihnen Fahrweg und Stund'?

4. Dass Gott uns behüt', bis die Nacht entflieht.
Kommt, singet das Abendlied.

AU CLAIR DE LA LUNE

Traditional
Arr.: Peter Herde

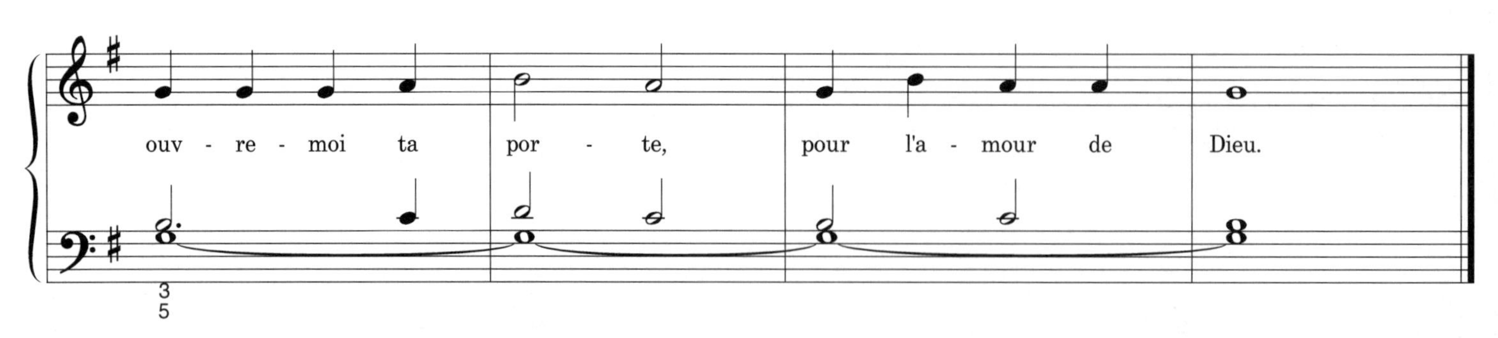

2. Au clair de la lune, Pierrot répondit:
Je n'ai pas de plume, je suis dans mon lit.
Va chez la viosine, je crois qu'elle y est.
Car dan sa cuisine. On bat la briquet.

GUTEN ABEND, GUT' NACHT

M: Johannes Brahms
T: Traditional
Arr.: Peter Herde

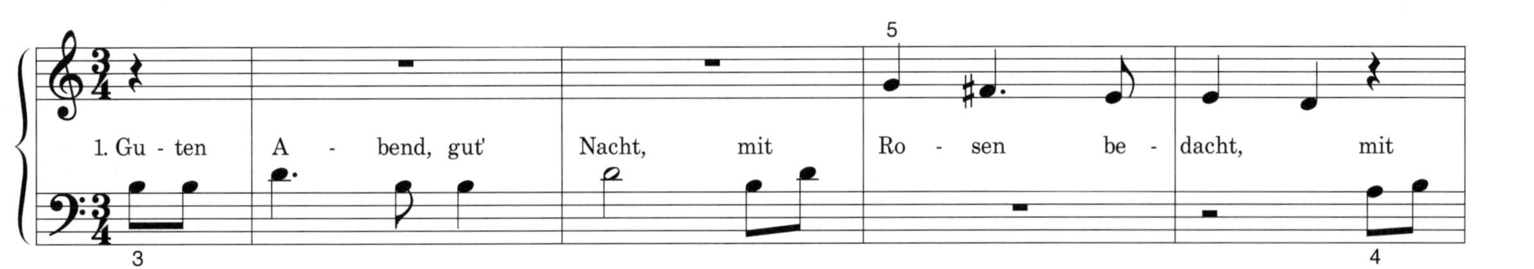

2. Guten Abend, gut' Nacht,
von Englein bewacht,
die zeigen im Traum
dir Christkindleins Baum.
Schlaf nun selig und süß,
schau im Traum's Paradies,
schlaf nun selig und süß,
schau im Traum's Paradies.

OH, WIE WOHL IST MIR AM ABEND

Traditional
Arr.: Peter Herde

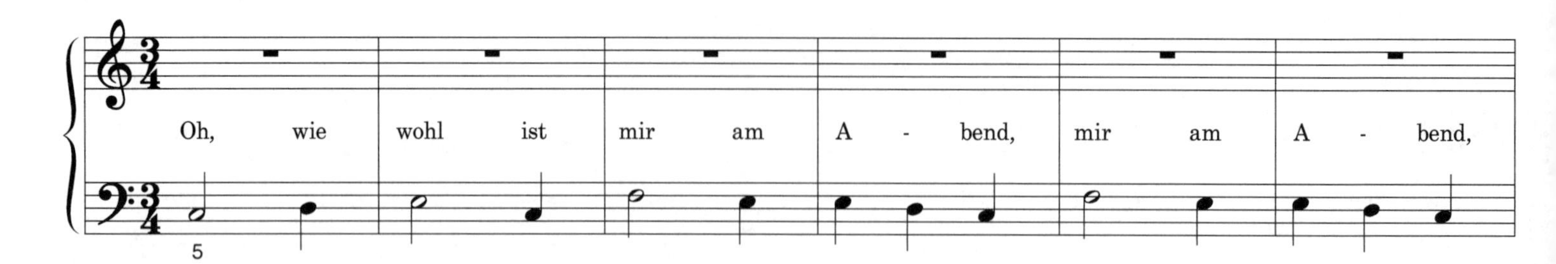

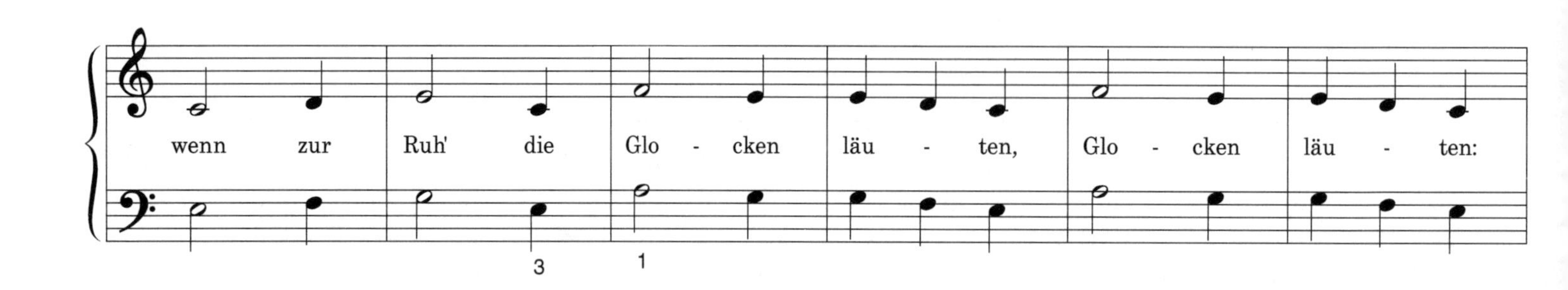

WER HAT DIE SCHÖNSTEN SCHÄFCHEN

M: Johann Friedrich Reichardt
T: A. H. Hoffmann v. Fallersleben
Arr.: Peter Herde

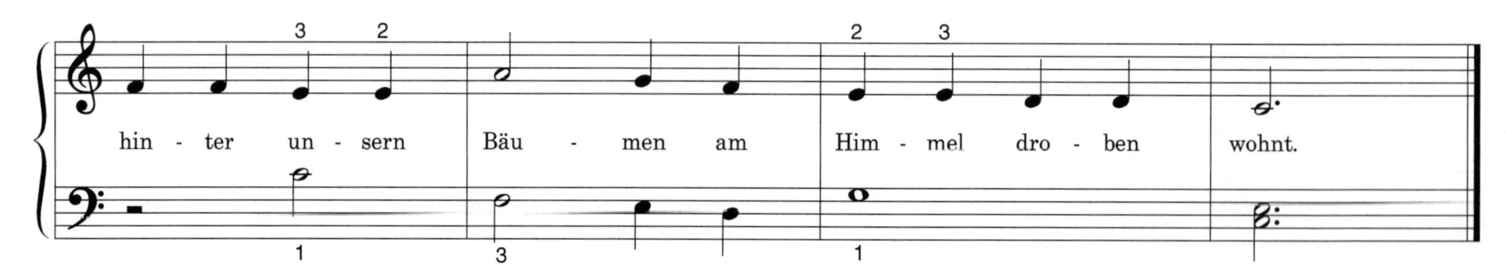

2. Er kommt am späten Abend,
   wenn alles schlafen will,
   hervor aus seinem Hause
   zum Himmel, leis und still.

3. Dann weidet er die Schäfchen
   auf seiner blauen Flur,
   denn all die weißen Sterne
   sind seine Schäfchen nur.

4. Sie tun dir nichts zu Leide,
   hat eins das andre gern,
   und Schwestern sind und Brüder
   da oben Stern an Stern.

5. Und soll ich dir eins bringen,
   so darfst du niemals schrei'n,
   musst freundlich wie ein Schäfchen
   und wie ihr Schäfer sein.

SCHLAF, KINDLEIN, SCHLAF

M: Johann Friedrich Reichardt
T: Joachim Heinrich Campe
Arr.: Peter Herde

2. Schlaf, Kindlein, schlaf!
   Am Himmel zieh'n die Schaf':
   Die Sternlein sind die Lämmerlein,
   der Mond, der ist das Schäferlein.
   Schlaf, Kindlein, schlaf!

KINDLEIN MEIN, SCHLAF DOCH EIN

Traditional
Arr.: Peter Herde

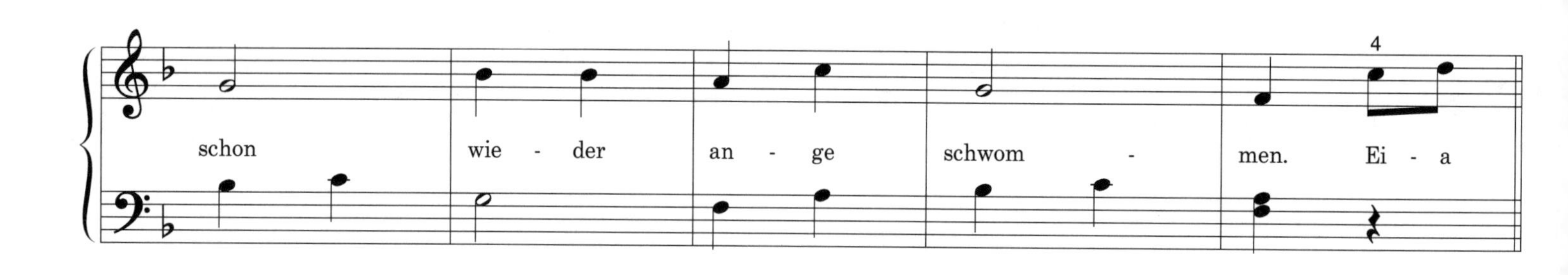

2. Kindlein mein, schlaf doch ein,
denn die Nacht kommt nieder;
und der Wind summt dem Kind
seine Wiegenlieder.
Eia Wieglein, Wieglein mein,
schlaf, mein Kindlein, schlaf doch ein.

GUTER MOND, DU GEHST SO STILLE

M: Traditional
T: Karl Englin, Traditional
Arr.: Peter Herde

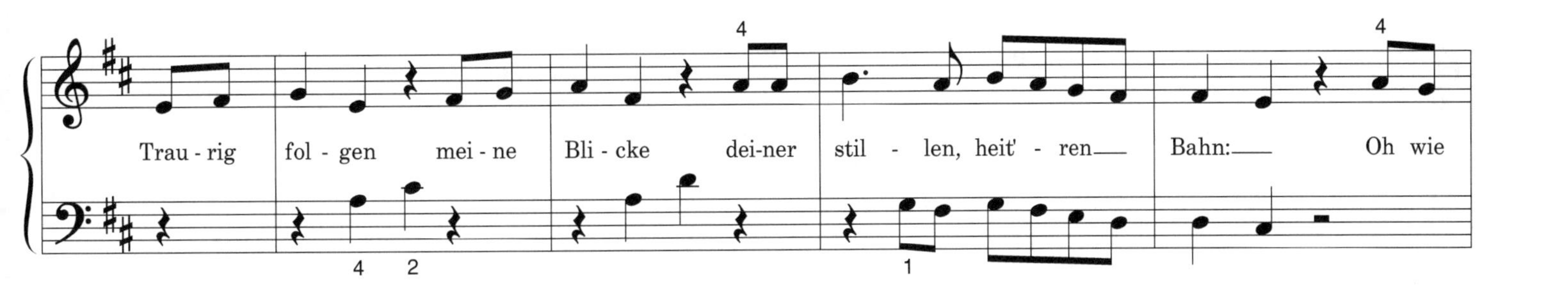

2. Guter Mond, dir darf ich's klagen,
was mein banges Herze kränkt,
und an wen mit bittern Klagen
die betrübte Seele denkt!
Guter Mond, du sollst es wissen,
weil du so verschwiegen bist,
warum meine Tränen fließen,
und mein Herz so traurig ist.

3. Dort in jenem kleinen Tale,
wo die dunkeln Bäume steh'n,
nah bei jenem Wasserfalle
wirst du eine Hütte seh'n!
Geh durch Wälder, Bach und Wiesen.
Blicke sanft durch's Fenster hin,
so erblickest du Elisen,
aller Mädchen Königin.

4. Mond, du Freund der reinen Triebe,
schleich dich in ihr Kämmerlein;
sage ihr, dass ich sie liebe,
dass sie einzig und allein
mein Vergnügen, meine Freude,
meine Lust, mein alles ist,
dass ich gerne mit ihr leide,
wenn ihr Aug' in Tränen fließt.

5. Dass ich aber schon gebunden,
und nur, leider! zu geschwind
meine süßen Freiheitsstunden
schon für mich verschwunden sind;
und dass ich nicht ohne Sünde
lieben könne in der Welt.
Lauf und sag's dem guten Kinde,
ob ihr diese Lieb' gefällt.

GOOD NIGHT, LADIES

Traditional
Arr.: Peter Herde

2. Farewell, ladies! ...

3. Sweet dreams, ladies! ...

DER MOND IST AUFGEGANGEN

M: Johann Abraham Peter Schulz
T: Matthias Claudius
Arr.: Peter Herde

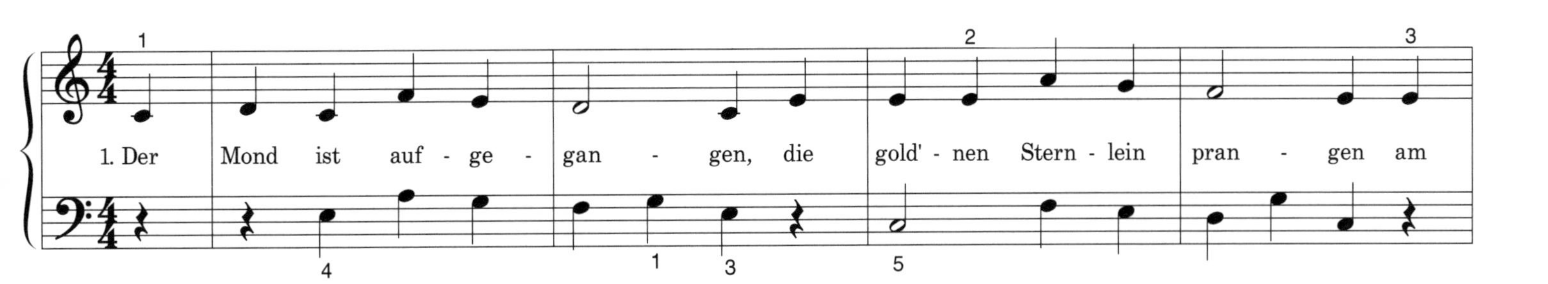

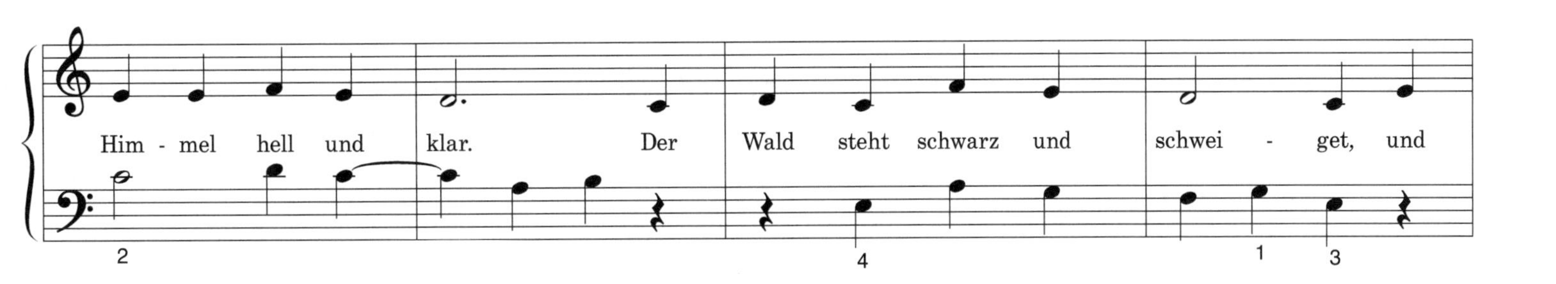

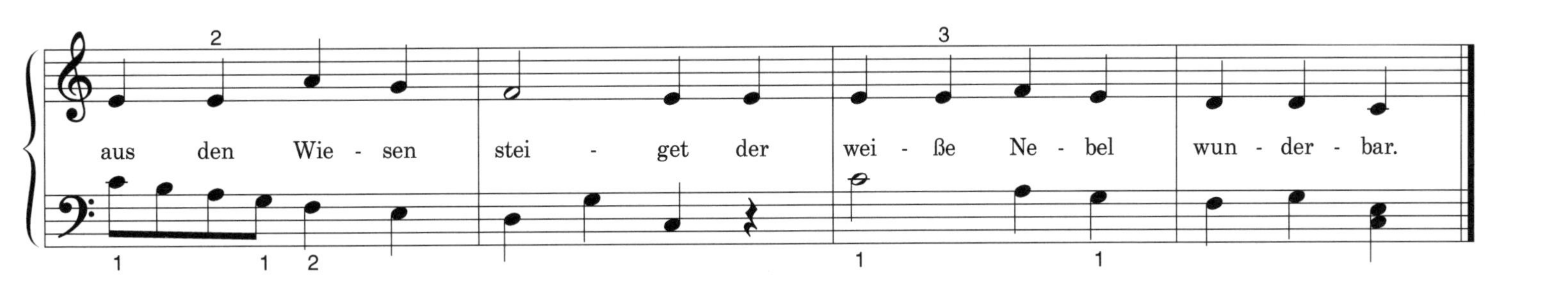

2. Seht ihr den Mond dort stehen?
Er ist nur halb zu sehen
und ist doch rund und schön!
So sind wohl manche Sachen,
die wir getrost belachen,
weil unsre Augen sie nicht seh‘n.

3. So legt euch denn, ihr Brüder,
in Gottes Namen nieder,
kalt ist der Abendhauch.
Verschon uns, Gott, mit Strafen
und lass uns ruhig schlafen
und unsern kranken Nachbarn auch.

WEISST DU, WIE VIEL STERNLEIN STEHEN

M: Traditional
T: Wilhelm Hey
Arr.: Peter Herde

2. Weißt du, wie viel Mücklein spielen
in der hellen Sommerglut?
Wie viel Fischlein auch sich kühlen
in der klaren Wasserflut?
Gott, der Herr, rief sie mit Namen,
dass sie all ins Leben kamen,
dass sie alle fröhlich sind,
dass sie alle fröhlich sind.

3. Weißt du, wie viel Kinder frühe
steh'n aus ihren Bettchen auf?
Dass sie ohne Sorg' und Mühe
fröhlich sind im Tageslauf?
Gott im Himmel hat an allen
seine Lust, sein Wohlgefallen,
kennt auch dich und hat dich lieb,
kennt auch dich und hat dich lieb.

DIE BLÜMELEIN, SIE SCHLAFEN

M: Anton W. F. v. Zuccalmaglio
T: Friedrich v. Spee
Arr.: Peter Herde

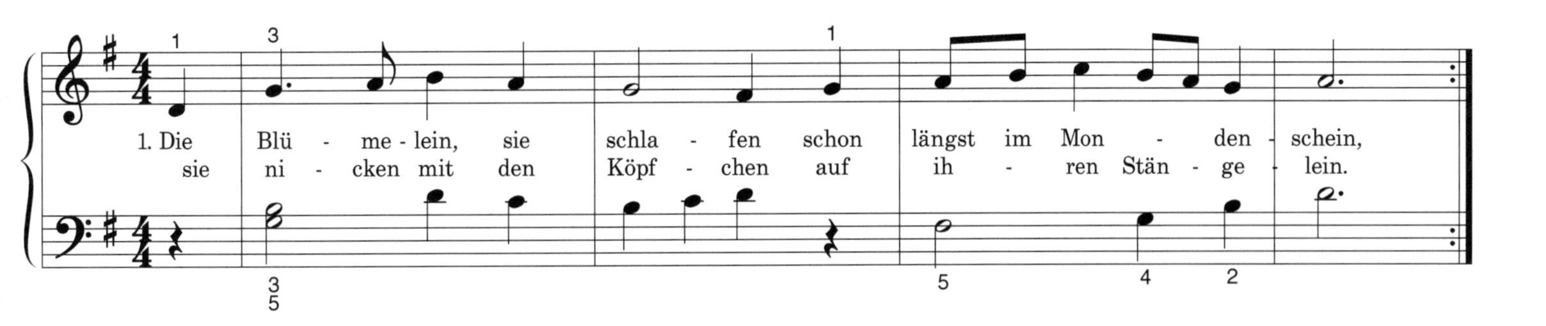

2. Die Vögelein, sie sangen
so süß im Sonnenschein,
sie sind zur Ruh' gegangen
in ihre Nestchen klein.
Das Heimchen in dem Ährengrund,
es tut allein sich kund.
Schlafe, ...

3. Sandmännchen kommt geschlichen
und guckt durchs Fensterlein,
ob irgendwo ein Liebchen
nicht mag zu Bette sein,
und wo er noch ein Kindchen fand,
streut er ins Aug' ihm Sand.
Schlafe, ...

SCHLAFE, MEIN PRINZCHEN, SCHLAF EIN

M: Bernhard Fliess
T: Friedrich Wilhelm Gotter
Arr.: Peter Herde

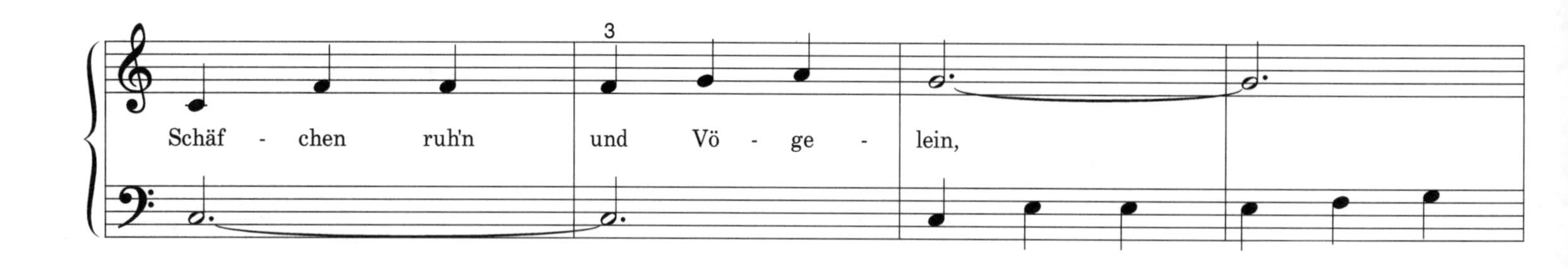

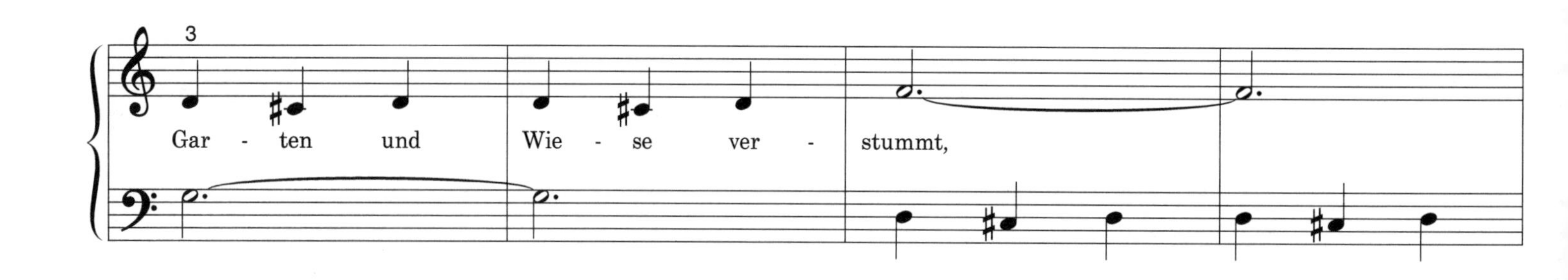

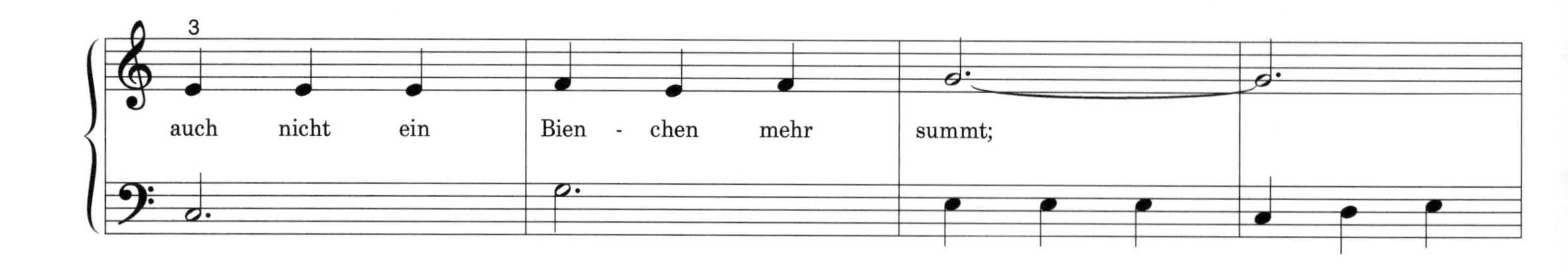

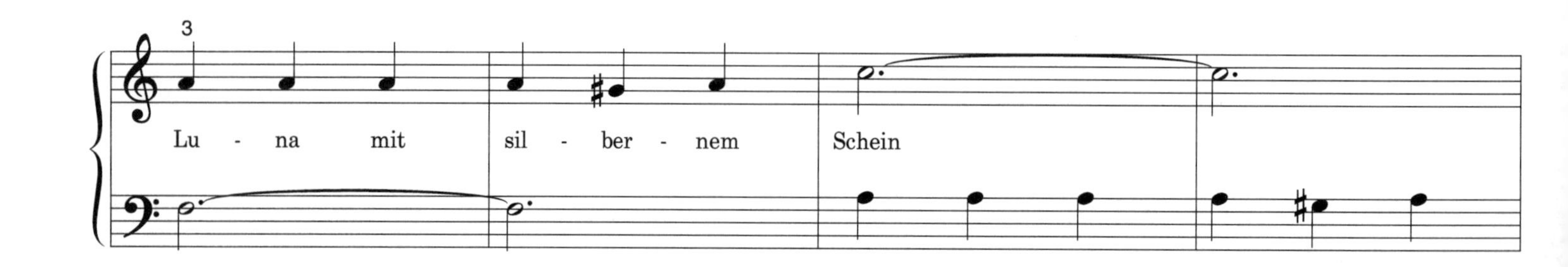

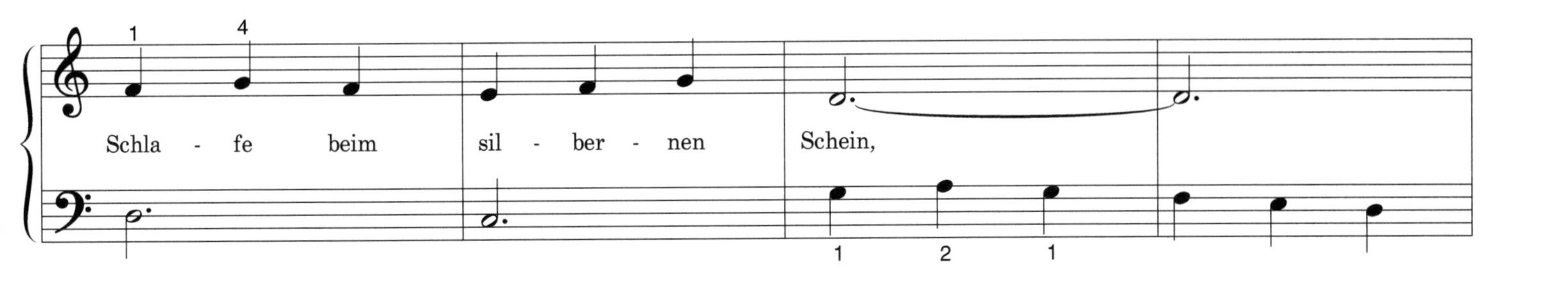

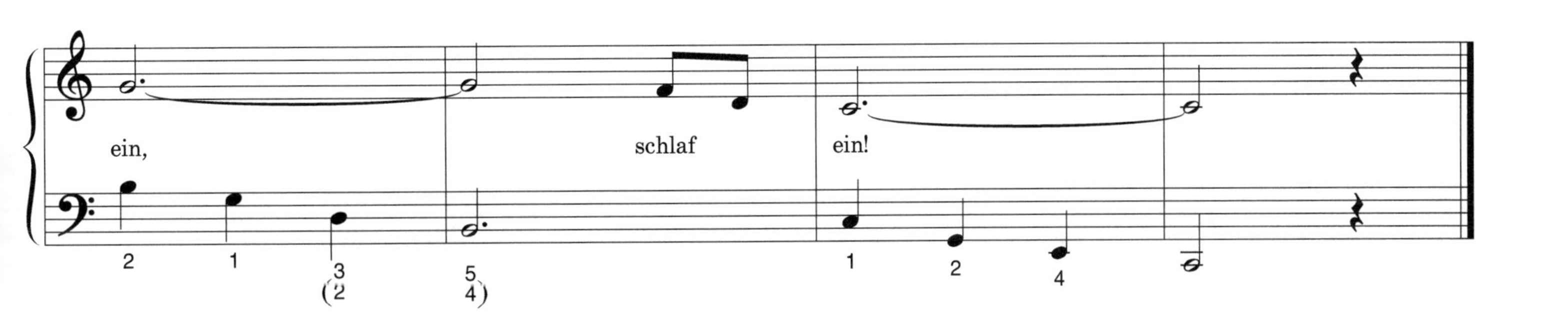

2. Auch in dem Schlosse schon liegt
alles in Schlummer gewiegt;
reget kein Mäuschen sich mehr,
Keller und Küche sind leer.
Nur in der Zofe Gemach
tönet ein schmelzendes Ach!
Was für ein Ach mag das sein?
Schlafe, mein Prinzchen, schlaf ein,
schlaf ein, schlaf ein!

3. Wer ist beglückter als du?
Nichts als Vergnügen und Ruh!
Spielwerk und Zucker vollauf
und noch Karossen im Lauf!
Alles besorgt und bereit,
dass nur das Prinzchen nicht schreit.
Was wird da künftig erst sein?
Schlafe, mein Prinzchen, schlaf ein,
schlaf ein, schlaf ein!

ADE ZUR GUTEN NACHT

Traditional
Arr.: Peter Herde

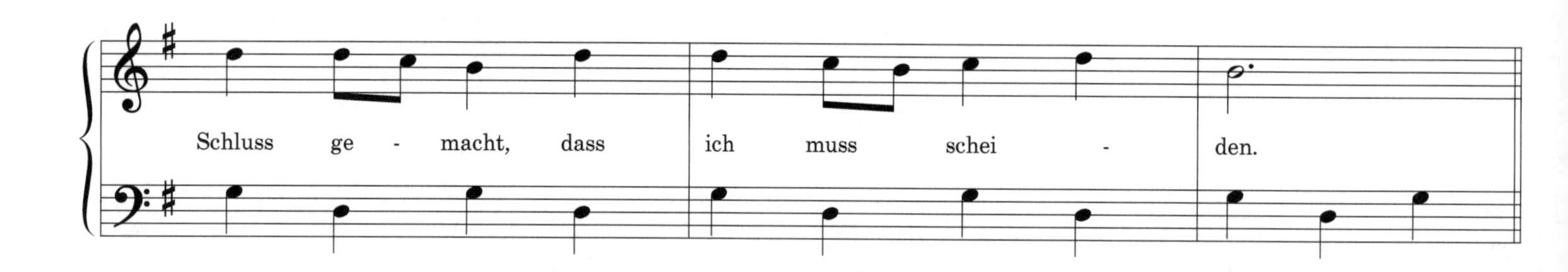

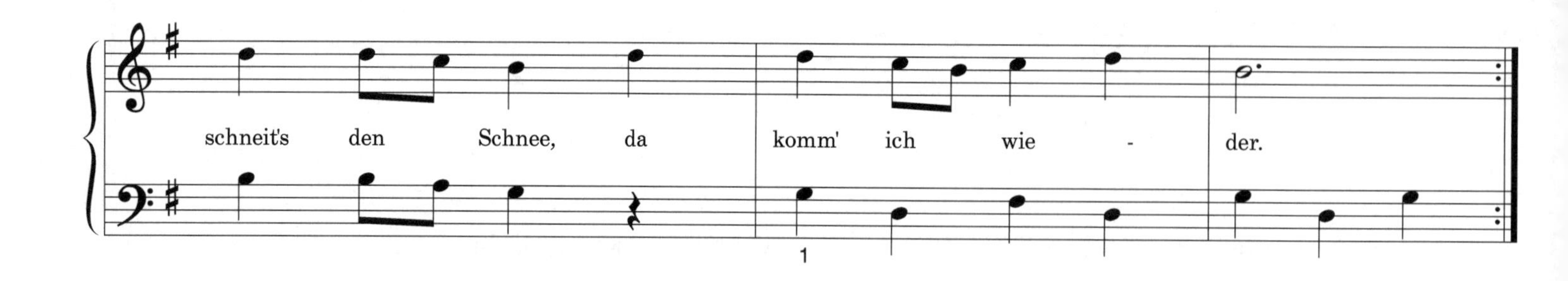

2. Es trauern Berg und Tal,
wo ich viel tausendmal
bin drüber gangen;
das hat deine Schönheit gemacht,
die mich zum Lieben gebracht
mit großem Verlangen.

3. Das Brünnlein rinnt und rauscht
wohl dort am Holderstrauch,
wo wir gesessen.
Wie mancher Glockenschlag,
da Herz bei Herzen lag,
das hast du vergessen!

HÖRT, IHR LEUT', UND LASST EUCH SAGEN

Traditional
Arr.: Peter Herde

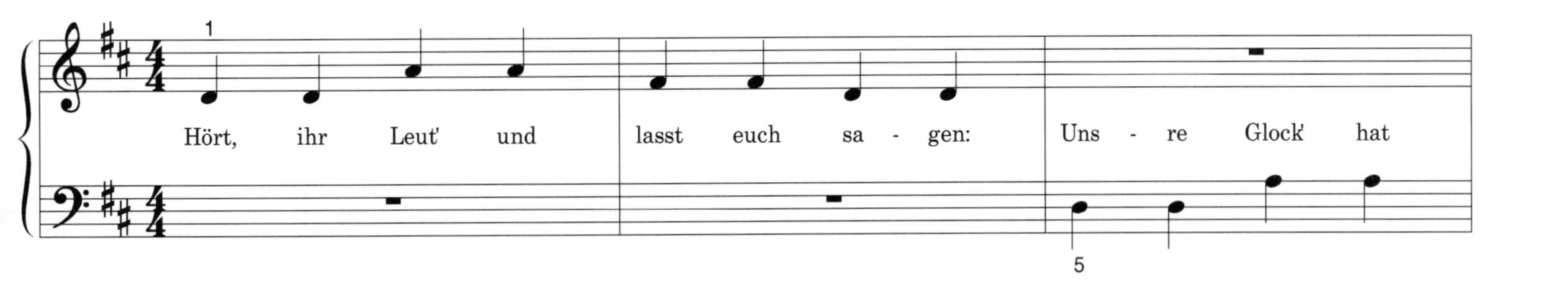

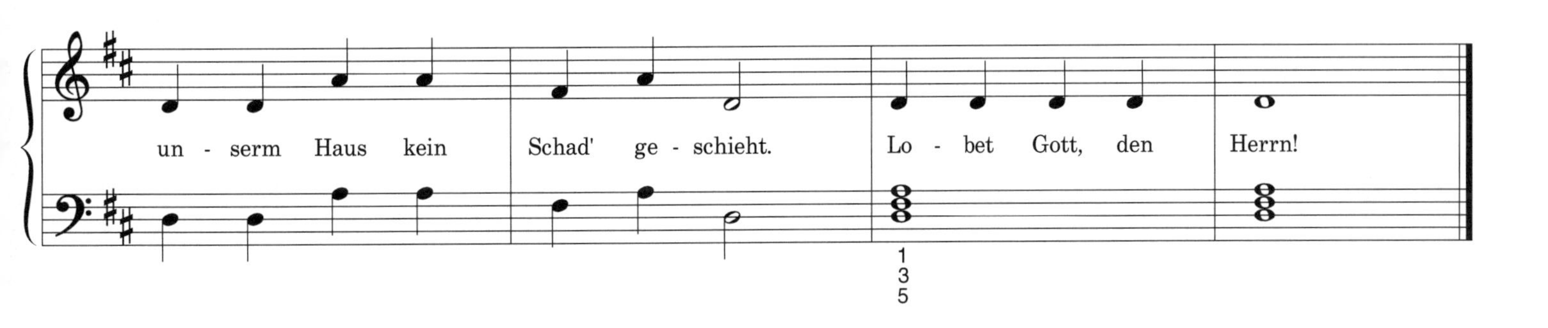

Märchen – Geschichten – Liebe / Tales and Love

RODDY MCCORLEY

Traditional
Arr.: Peter Bach

BLACK VELVET BAND

Traditional
Arr.: Peter Bach

WILL YOU COME TO THE BOWER

Traditional
Arr.: Peter Bach

MY FAIR LOVE IS LEAVING ME

Traditional
Arr.: Peter Bach

PADDY MACK

Traditional
Arr.: Peter Bach

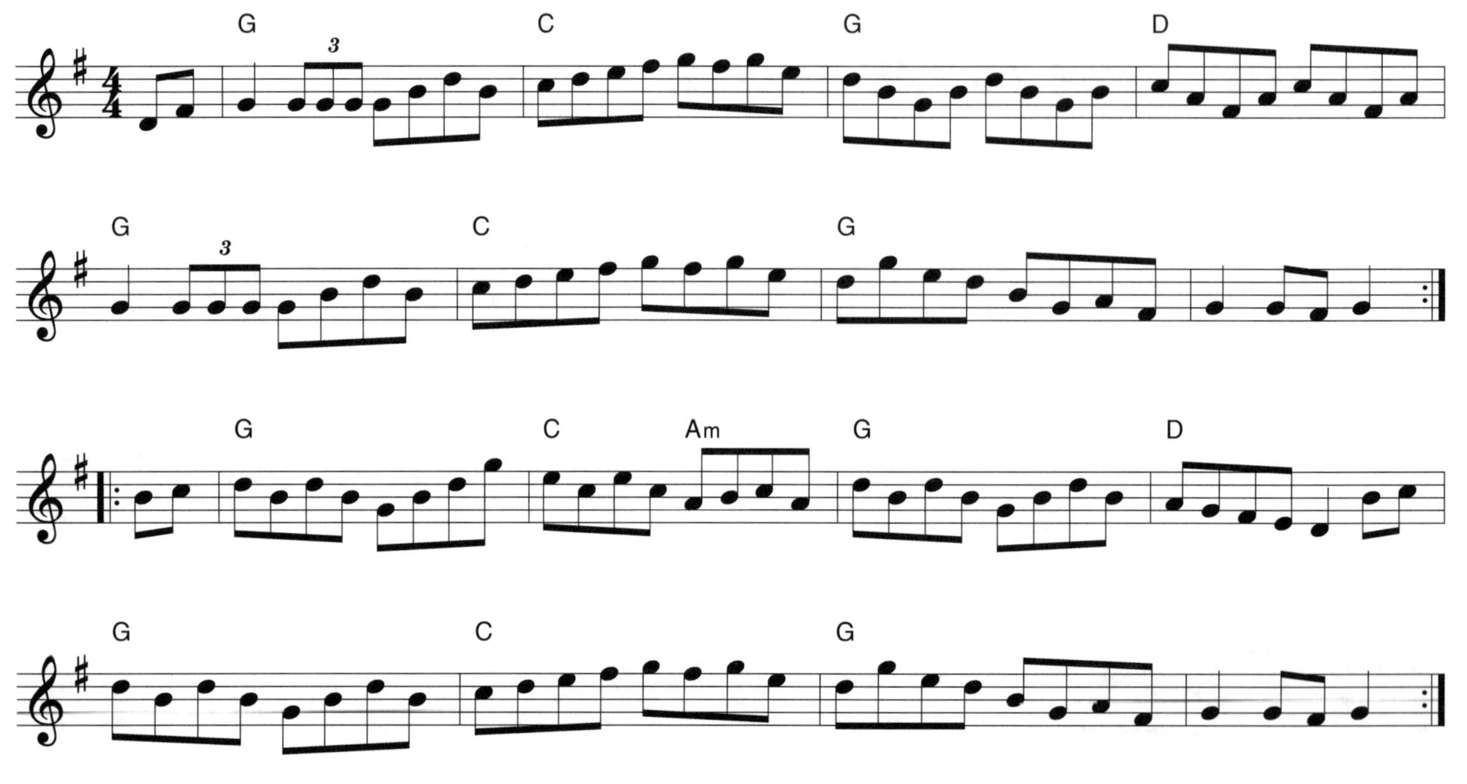

MARY ANN

Traditional
Arr.: Carlos Molino

SKIBBEREEN

Traditional
Arr.: Peter Bach

SPANISH LADY

Traditional
Arr.: Peter Bach

2. As I came back through Dublin city
at the hour of half past eight
who should I see but the Spanish Lady
brushing her hair in the bright daylight;
first she tossed it, then she brushed it
on her lap was a silver comb.
In all my life I ne'er did see
a maid so fair since I did roam.

3. As I went back through Dublin city
as the sun began to set
who should I see but the Spanish Lady
catching a moth in a golden net;
when she saw me then she fled me
lifting her petticoat over her knee.
In all my life I ne'er did see
a maid so shy as the Spanish Lady.

4. I've wandered north and I've wandered south
through Stonybatter and Patrick's Close
up and around the Gloster Diamond
and back by Napper Tandy's house:
Old age has laid her hand on me
cold as a fire of a shy coals.
In all my life I ne'er did see
a maid so sweet as the Spanish Lady.

ALBERTA LET YOUR HAIR HANG DOWN

Traditional
Arr.: Carlos Molino

2. Alberta, what's on your mind,
Alberta, what's on your mind?
I feel so sad 'cause I need you so bad,
Alberta, what's on your mind?

3. Alberta, don't you treat me unkind,
Alberta, don't you treat me unkind.
You keep me worned, you keep me blue,
Alberta, don't you treat me unkind.

I ONCE LOVED A LASS

Traditional
Arr.: Carlos Molino

2. I saw my love up to the church door,
bridesgroom and bridesmaiden, they made a fine show.
I followed on with my heart full of woe,
she's gone to be wed to another.

3. I saw my love as she sat down to dine,
I sat down beside her and poured out the wine.
I thought of a lassie that should have been mine,
she's gone to be wed to another.

4. The men in your forest, they asked of me,
how many strawberries grow in the salt sea.
I answered them with a tear in my eye,
how many ships sail in the forest.

5. Dig me a grave and dig it so deep,
cover it over with wee flowers so sweet.
And I'll lay me down to take a long sleep
and may be in time I'll forget her.

THE CURTAINS OF NIGHT

Traditional
Arr.: Carlos Molino

2. I have loved you too fondly to ever forget
the love you have spoken for me;
the kiss of affection still worn on my lips
when you told me how true you would be.
I know not if fortune be fickle or friend,
or if time or your memory wear;
I know that I love you wherever you roam,
and remember you, love, in my prayers.

CIELITO LINDO

Traditional
Arr.: Carlos Molino

2. Ese lunar que tienes, cielito lindo, junta a la boca,
   no se lo des a nadie, cielito lindo, que a mi me toca.
   Ay, ay, ay, ay canta y no llores,
   porque cantando se alegran, cielito lindo, los corazones.

3. El amor es un bicho, cielito lindo, que cuando pica,
   no se encuentra remedio, cielito lindo, en la botica.
   Ay, ay, ay, ay canta y no llores, ...

   Ay, ay, ay, ay canta y no llores, ...

EL VENADITO

Traditional
Arr.: Susanne Sonntag

JAMES CONOLLY

Traditional
Arr.: Peter Bach

WILD ROVER

Traditional
Arr.: Carlos Molino

2. I went into an ale house I used to frequent
and I told the landlady me money was spent.
I asked her for credit, she answered me "Nay",
sayin' "a custom like yours I can have any day".
And it's no, nay, never, no, nay, never no more
will I play the wild rover, no, never no more.

3. Well out of me pockets ten sovereigns bright
and the landlady's eyes opened wide with delight.
She said "I have whiskeys and ales of the best"
and the words that I spoke they were only in jest.
And it's no, nay, never ...

4. I'll go home to me parents, confess what I've done
and ask them to pardon their prodigal son.
And if they'll forgive me as oft times before
I never will play a wild rover no more.
And it's no, nay, never ...
And it's no, nay, never ...

ONLY OUR RIVERS RUN FREE

Traditional
Arr.: Peter Bach

2. I drink to the death of her manhood,
those men who'd rather have died.
Than to live in the cold chains of bondage
to bring back their rights were denied.
Oh where are you now that we need you,
what burns where the flame used to be.
Are you gone like the snow of last winter,
and will only our rivers run free?

3. How sweet is life, but we're crying.
How mellow the wine, but we're dry.
How fragrant the rose, but it's dying.
How gentle the wind, but it sighs.
What good is in youth when it's ageing.
What joy is in eyes that can't see.
When there's sorrow in sunshine and flowers,
and still only our rivers run free.

RED IS THE ROSE

Traditional
Arr.: Peter Bach

2. Red is the rose that in yonder garden grows
   and fair is the lily of the valley.
   Clear is the water that flows from the Boyne,
   but my love is fairer than any.

3. 'Twas down in Killarneys green woods that we strayed
   and the moon and the stars they were shining.
   The moon shone is rays on her locks of golden hair
   and she swore she'd be my love forever.

4. It's not for the parting that my sister pains,
   it's not for the grief of my mother.
   'Tis all for the loss of my bonnie Irish lass
   that may heart is breaking forever.

IN DUBLIN'S FAIR CITY

Traditional
Arr.: Peter Bach

2. She was a fishmonger, but sure, 'twas no wonder,
for so were her father and mother before.
And they both wheeled their barrow through streets
broad and narrow
crying: "cockles and mussels, alive, alive, oh!
Alive, alive, oh! Alive, alive, oh!"
crying: "cockles and mussels, alive, alive, oh!"

3. She died of a fever, no one could relieve her,
and that was the end of sweet Molly Malone.
But her ghost wheels her barrow through streets
broad an narrow
crying: "cockles and mussels, alive, alive oh!
Alive, alive, oh! Alive, alive, oh!"
crying: "cockles and mussels, alive, alive, oh!"

ES DUNKELT SCHON IN DER HEIDE

Traditional
Arr.: Carlos Molino

2. Ich hörte die Sichel rauschen, sie rauschte durch das Korn.
Ich hörte mein Feinslieb' klagen, sie hätt' ihr Lieb' verlor'n.

3. „Hast du dein Lieb' verloren, so hab' ich doch das mein.
So wollen wir beide mit'nander winden ein Kränzelein."

4. „Ein Kränzelein von Rosen, ein Sträußelein von Klee.
Zu Frankfurt auf der Brücke, da liegt ein tiefer Schnee."

5. „Der Schnee, der ist zerschmolzen, das Wasser läuft dahin.
Kommst mir aus meinen Augen, kommst mir aus meinem Sinn."

6. In meines Vaters Garten, da steh'n zwei Bäumelein.
Das eine, das trägt Muskaten, das andre Braunnägelein.

7. Muskaten, die sind süße, Braunnägelein, die sind schön.
Wir beide müssen scheiden, ja scheiden, das tut weh.

HÄNSEL UND GRETEL

Traditional
Arr.: Peter Herde

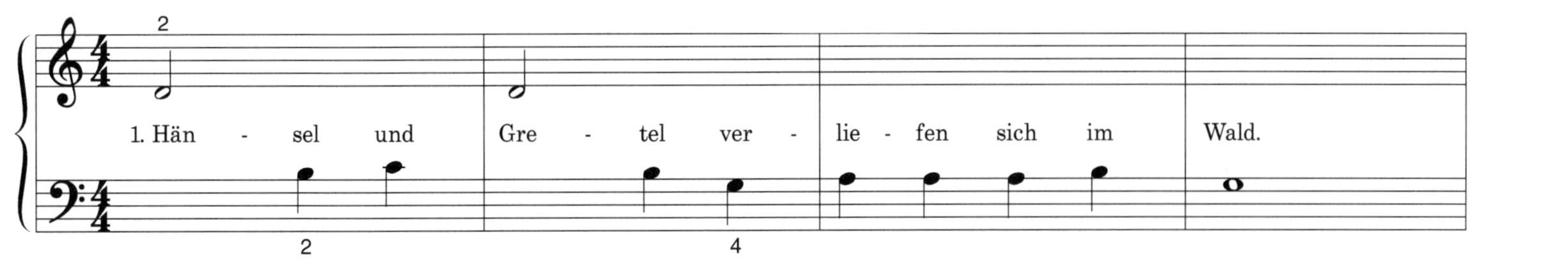

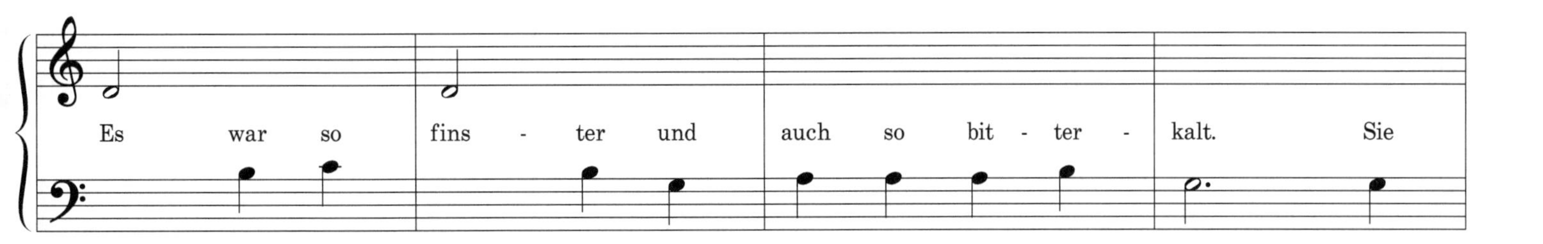

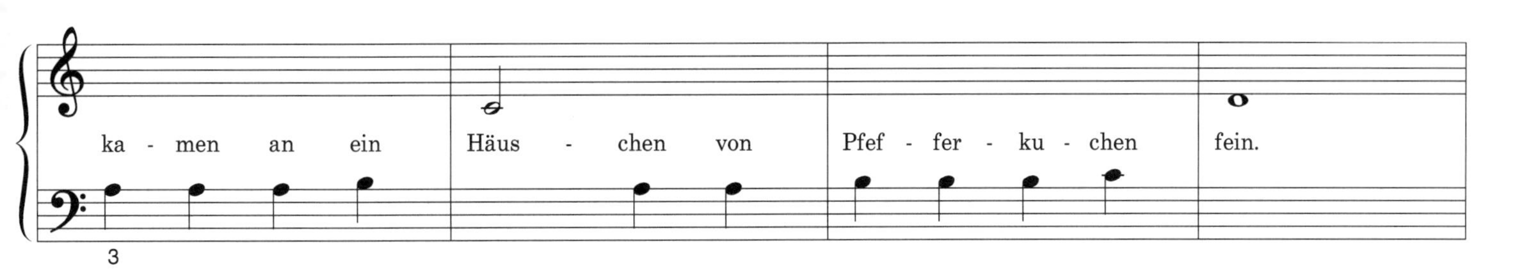

2. Hu, hu, da schaut eine alte Hexe raus.
Sie lockt die Kinder ins Pfefferkuchenhaus.
Sie stellte sich gar freundlich, o Hänsel, welche Not!
Ihn wollt' sie braten im Ofen braun wie Brot!

3. Doch als die Hexe zum Ofen schaut' hinein,
ward sie gestoßen von Hans und Gretelein.
Die Hexe musste braten, die Kinder geh'n nach Haus.
Nun ist das Märchen von Hans und Gretel aus.

DORNRÖSCHEN WAR EIN SCHÖNES KIND

M+T: Margarete Läffler
Arr.: Peter Herde

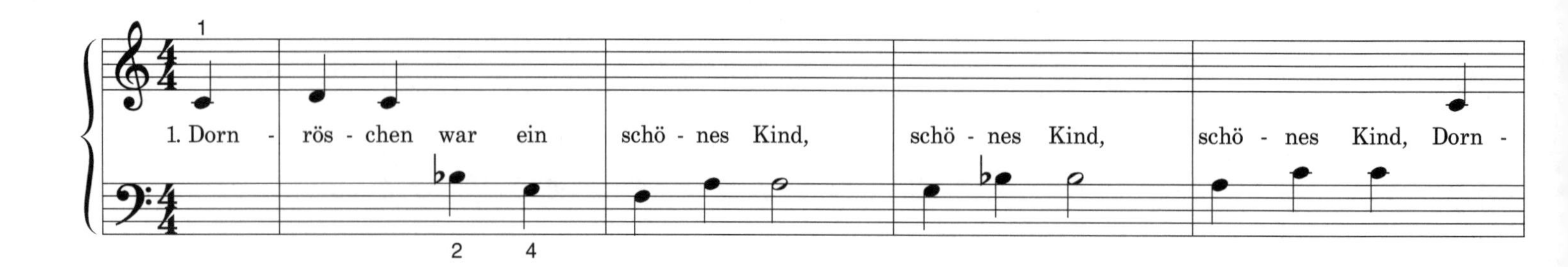

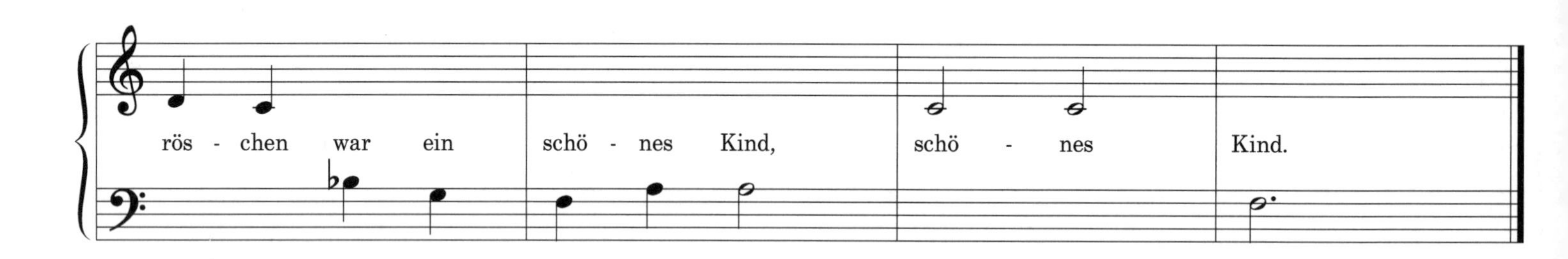

2. Dornröschen, nimm dich ja in acht!

3. Da kam die böse Fee herein.

4. „Dornröschen schlafe hundert Jahr'!"

5. Da wuchs die Hecke riesengroß.

6. Da kam ein junger Königssohn.

7. „Dornröschen, wache wieder auf!"

8. Sie feierten ein Hochzeitsfest.

9. Da jubelte das ganze Volk.

ES WAREN ZWEI KÖNIGSKINDER

Traditional
Arr.: Peter Herde

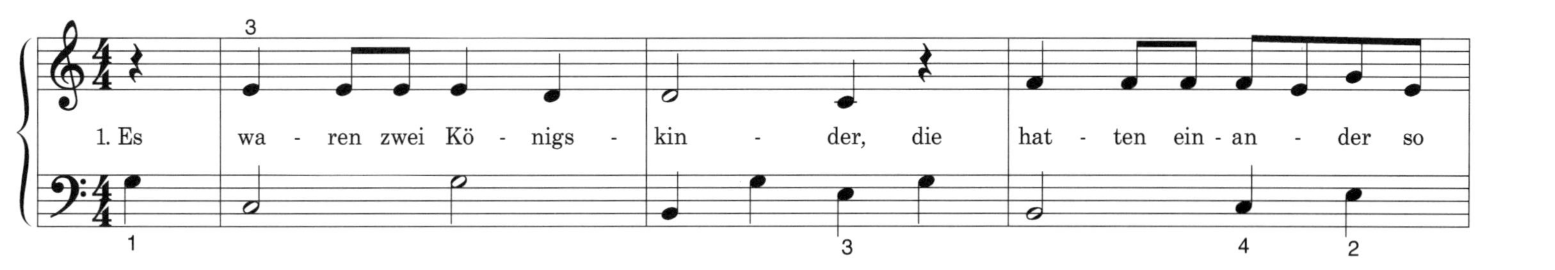

2. „Ach Liebster, könntest du schwimmen,
so schwimm doch rüber zu mir !
Drei Kerzen will ich anzünden,
und die sollen leuchten dir,
und die sollen leuchten dir."

3. Das hört ein falsches Nönnchen,
die tat, als wenn sie schlief;
sie tät die Kerzlein auslöschen,
der Jüngling ertrank so tief,
der Jüngling ertrank so tief.

4. Die Mutter ging nach der Kirche,
die Tochter hielt ihren Gang.
Sie ging so lang spazieren,
bis sie den Fischer fand,
bis sie den Fischer fand.

5. Ach Fischer, liebster Fischer,
willst du verdienen groß' Lohn,
so wirf dein Netz ins Wasser
und fisch mir den Königssohn
und fisch mir den Königssohn!

6. Er warf das Netz ins Wasser,
er ging bis auf den Grund;
er fischte und fischte so lange,
bis er den Königssohn fand,
bis er den Königssohn fand.

7. Sie schloss ihn in ihre Arme
und küsst' seinen bleichen Mund:
Ach Mündlein, könntest du sprechen,
so wär' mein jung' Herze gesund,
so wär' mein jung' Herze gesund!

8. Sie schwang sich um ihren Mantel
und sprang wohl in den See:
Gut' Nacht, mein Vater und Mutter,
ihr seht mich nimmermeh',
ihr seht mich nimmermeh'!

9. Da hört' man Glöcklein läuten,
da hört' man Jammer und Not.
Hier liegen zwei Königskinder,
die sind alle beide tot,
die sind alle beide tot!

ZOGEN EINST FÜNF WILDE SCHWÄNE

Traditional
Arr.: Peter Herde

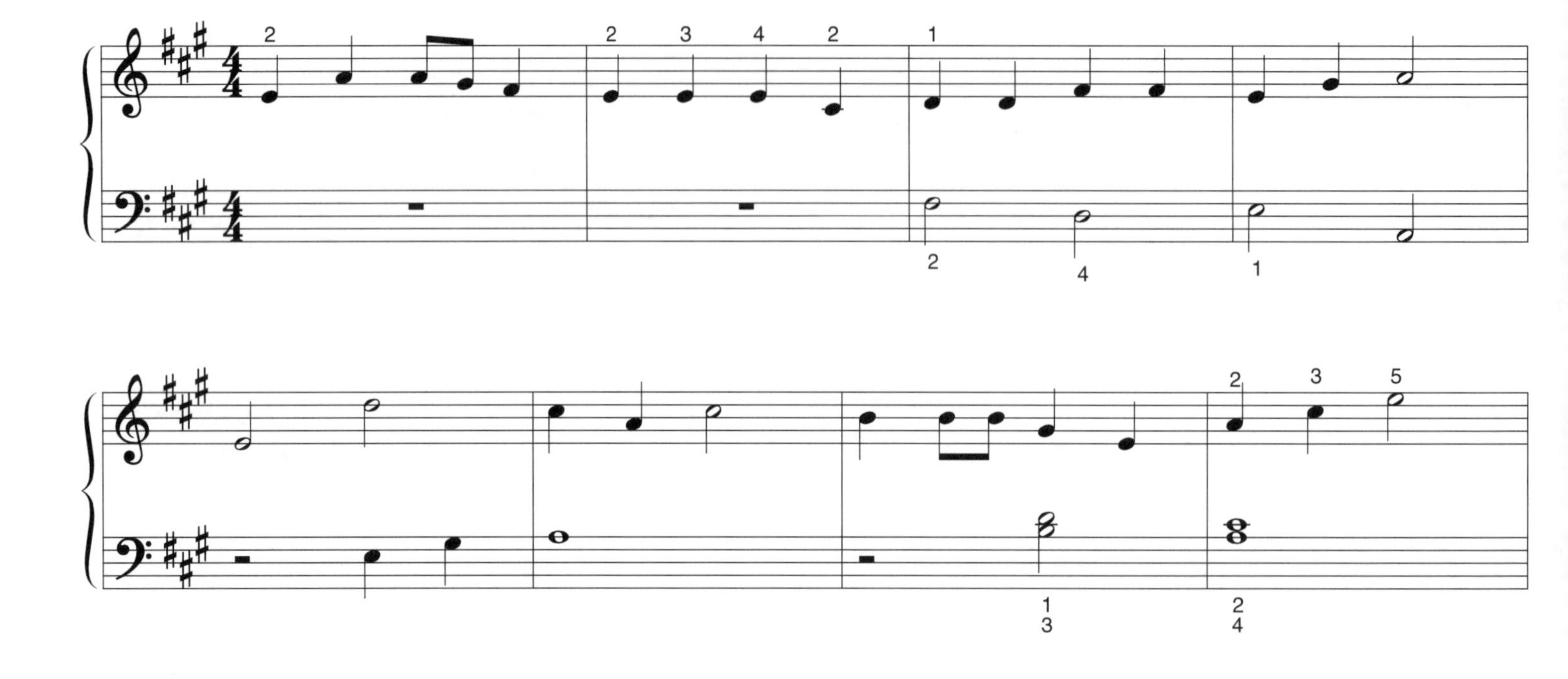

ES SASS EIN KLEIN' WILD' VÖGELEIN

Traditional
Arr.: Peter Herde

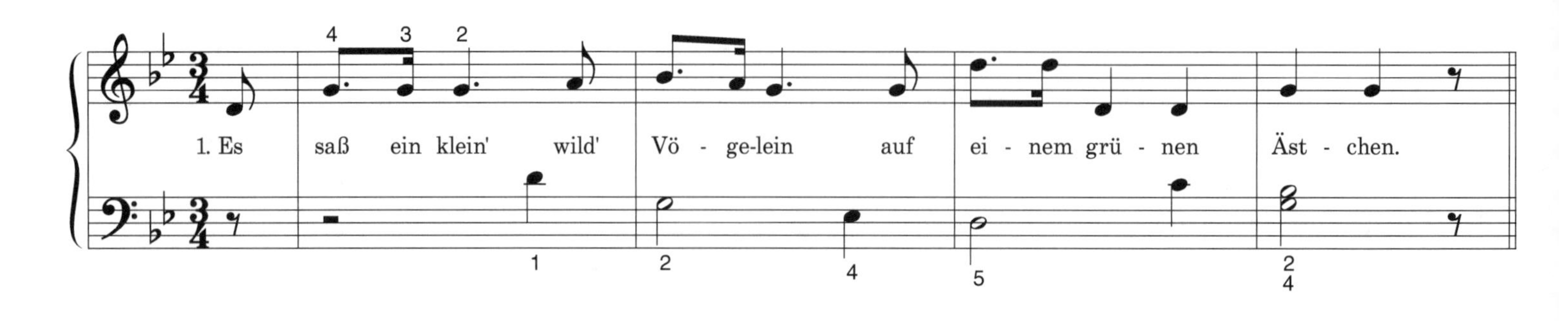

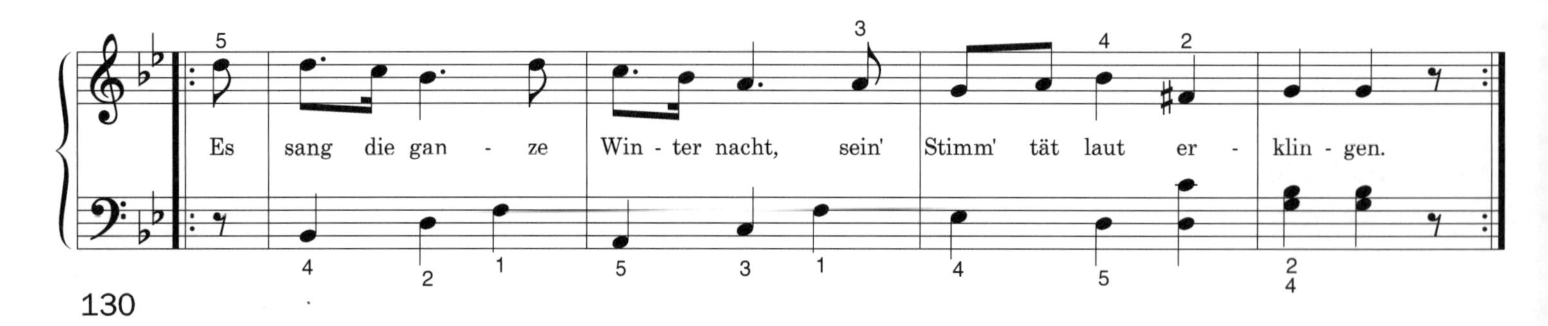

2. Sing du mir mehr, sing du mir mehr,
du kleines wildes Vögelein!
Ich will um deine Federchen
dir Gold und Seide winden.
Ich will ...

DAT DU MIN LEEVSTEN BÜST

Traditional
Arr.: Peter Herde

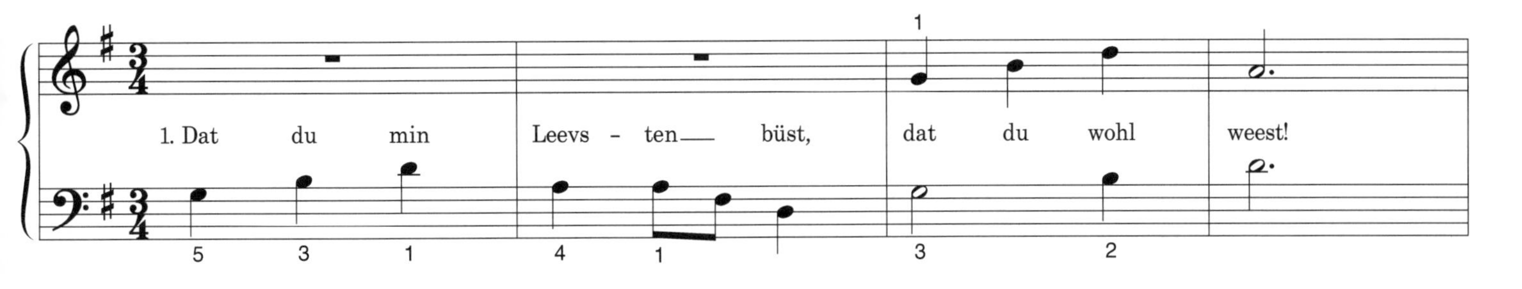

2. Kum du üm Middernacht,
kum du Klok een!
Vader slöpt, Moder slöpt,
ik slap alleen.
Vader slöpt ...

3. Klop an de Kammerdör,
faat an de Klink!
Vader meent, Moder meent,
dat deit de Wind.
Vader meent ...

DU, DU LIEGST MIR IM HERZEN

Traditional
Arr.: Peter Herde

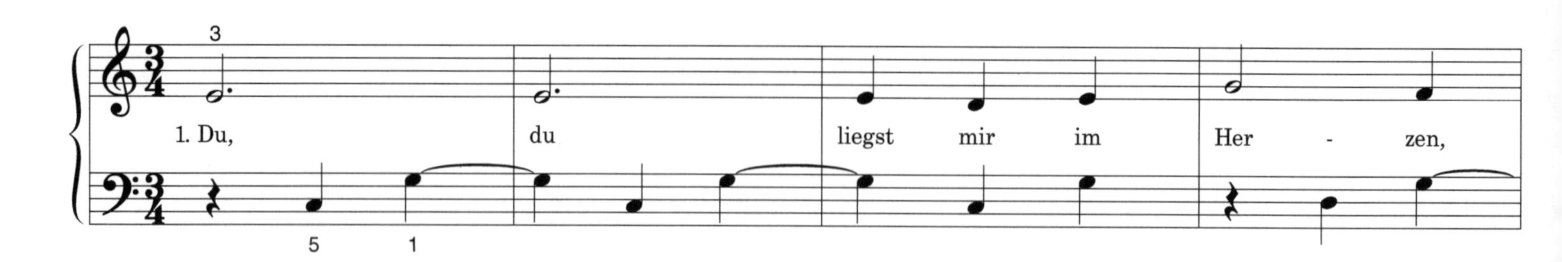

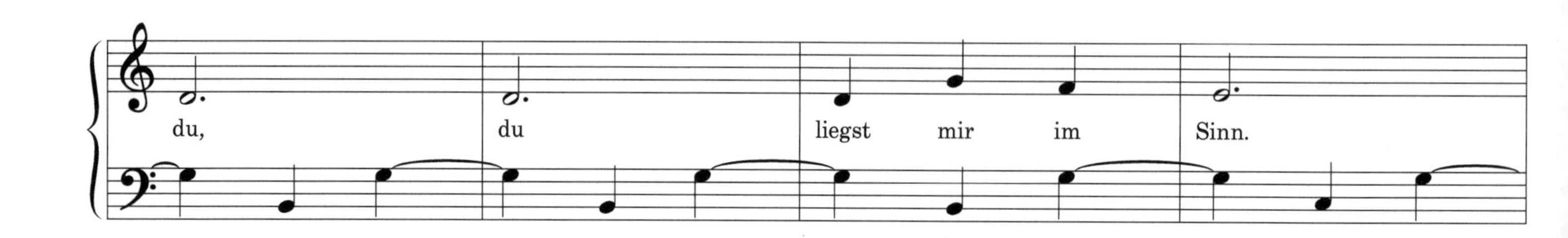

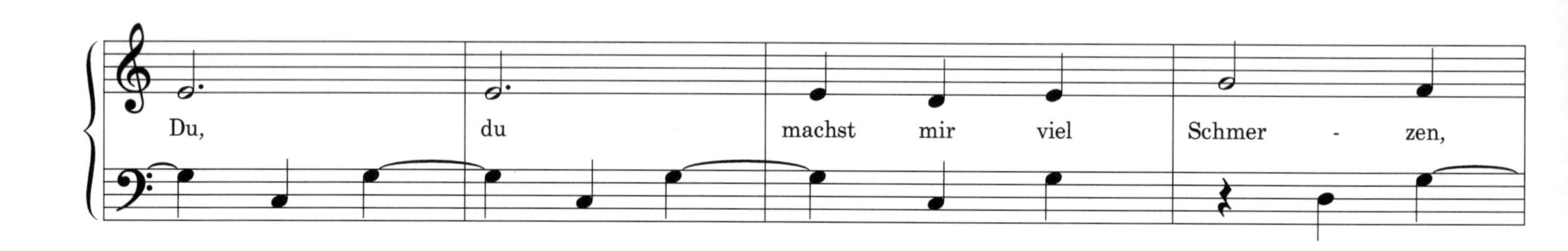

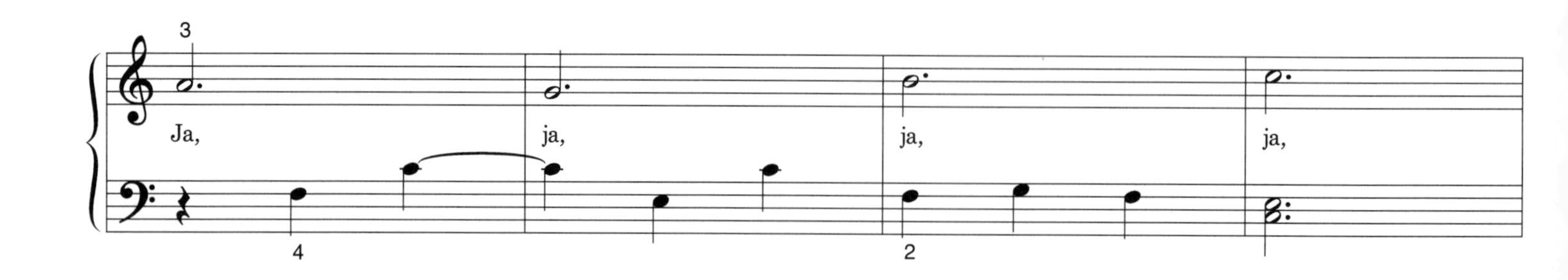

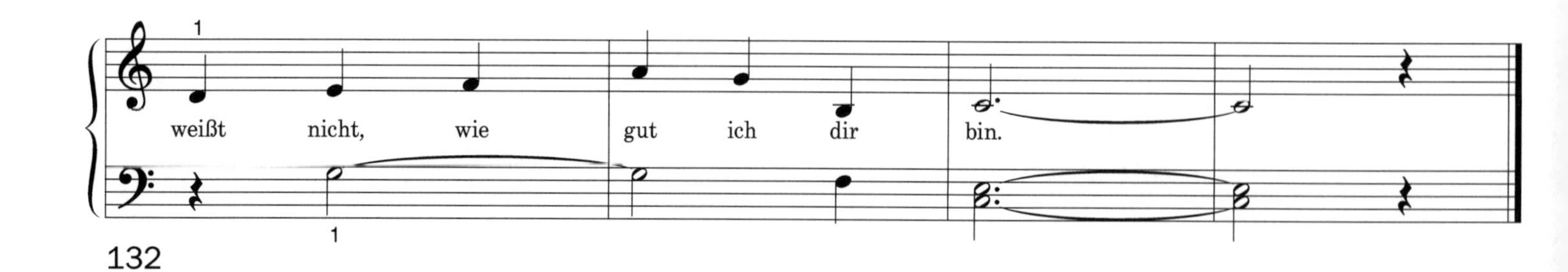

2. So, so wie ich dich liebe,
so, so liebe auch mich!
Die, die zärtlichsten Triebe
fühl' ich allein nur für dich!
Ja, ja, ja, ja,
fühl' ich allein nur für dich!

3. Doch, doch darf ich dir trauen,
dir, dir mit leichtem Sinn?
Du, du kannst auf mich bauen,
weißt ja, wie gut ich dir bin.
Ja, ja, ja, ja,
weißt ja, wie gut ich dir bin.

4. Und, und wenn in der Ferne
mir, mir dein Herz erscheint,
dann, dann wünsch ich so gerne,
dass uns die Liebe vereint.
Ja, ja, ja, ja,
dass uns die Liebe vereint.

LONDON BRIDGE IS FALLING DOWN

Traditional
Arr.: Peter Herde

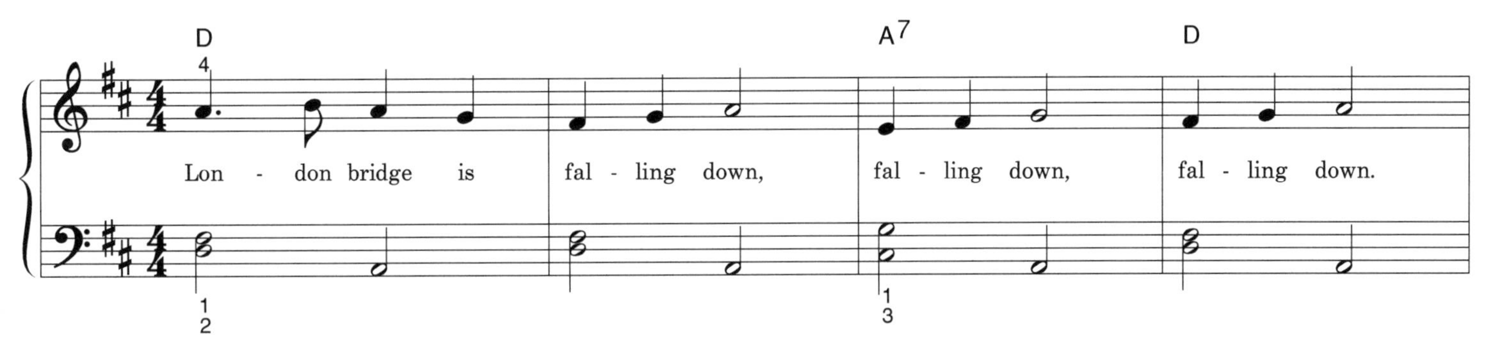

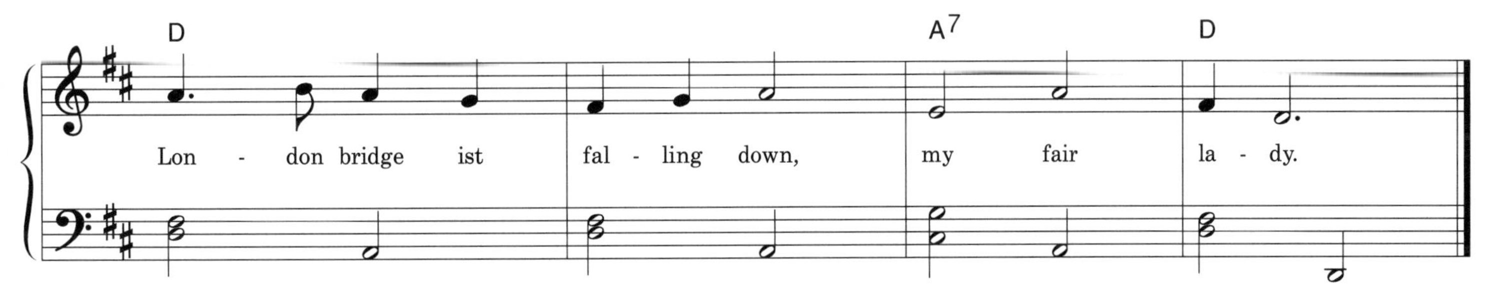

2. Build it up with iron bars,
iron bars, iron bars.
Build it up with iron bars,
my fair lady!

3. Build it up with gold and silver,
gold and silver, gold and silver
build it up gold and silver,
my fair lady!

4. Take the key and lock her up,
lock her up, lock her up,
take the key and lock her up,
my fair lady!

UND IN DEM SCHNEEGEBIRGE

Traditional
Arr.: Peter Herde

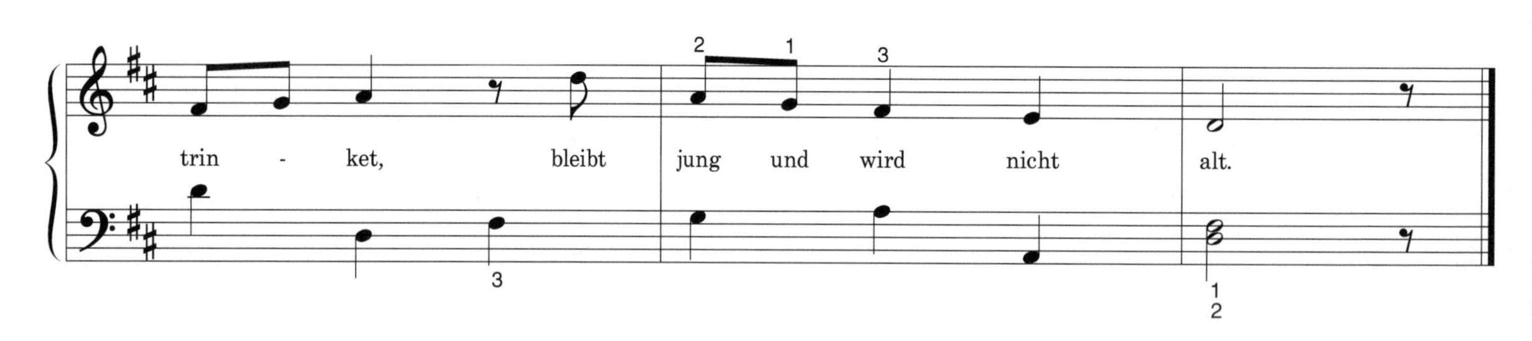

2. Ich hab' daraus getrunken
gar manchen frischen Trunk.
Ich bin nicht alt geworden,
ich bin nicht alt geworden,
ich bin noch immer jung.

3. Das Brünnlein, das da drüben fließt,
draus soll man immer trink'n;
wer eine Feinsherzliebste hat,
wer eine Feinsherzliebste hat,
der soll man immer winken.

FRANKIE AND JOHNNY

Traditional
Arr.: Peter Herde

SKIP TO MY LOU

Traditional
Arr.: Peter Herde

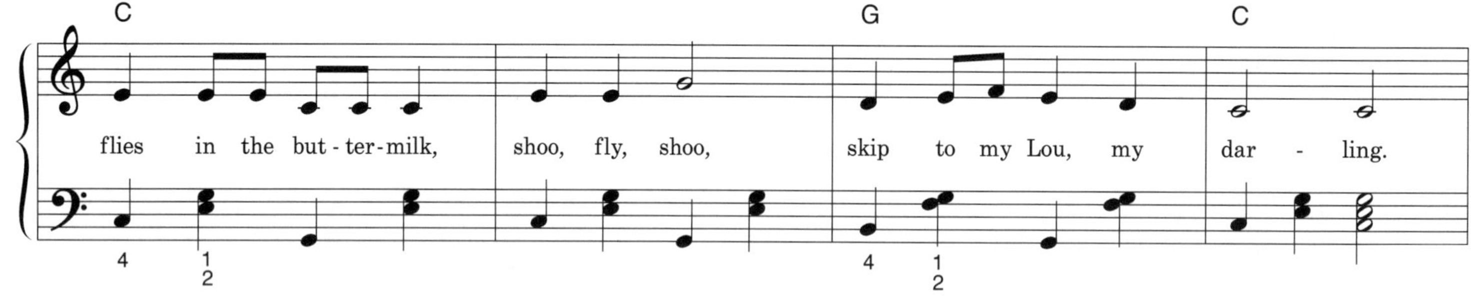

2. Cats in the cream jar, ooh, ooh, ooh,
cats in the cream jar, ooh, ooh, ooh,
cats in the cream jar, ooh, ooh, ooh,
skip to my Lou, my darling.

Skip, skip, skip to my Lou,
skip, skip, skip to my Lou,
skip, skip, skip to my Lou,
skip to my Lou, my darling.

3. Off to Texas, two by two,
off to Texas, two by two,
off to Texas, two by two,
skip to my Lou, my darling.

Skip, skip, skip to my Lou,
skip, skip, skip to my Lou,
skip, skip, skip to my Lou,
skip to my Lou, my darling.

SANTA LUCIA

M+T: Teodoro Cottrau
Arr.: Peter Herde

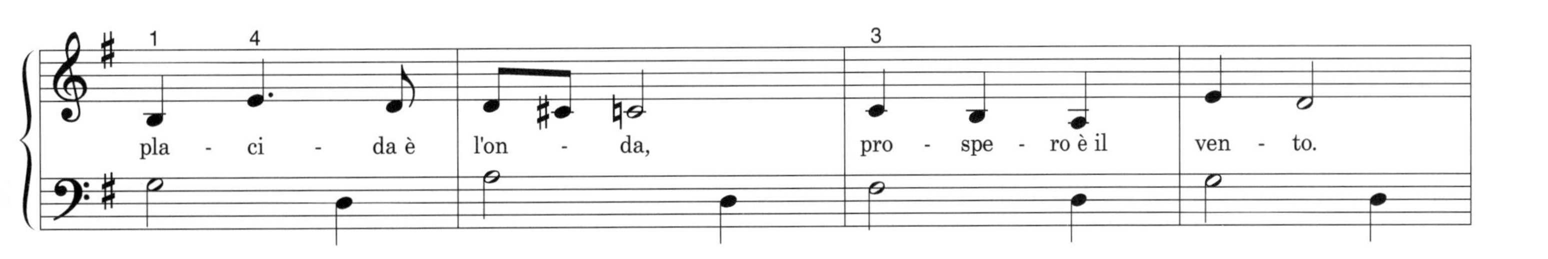

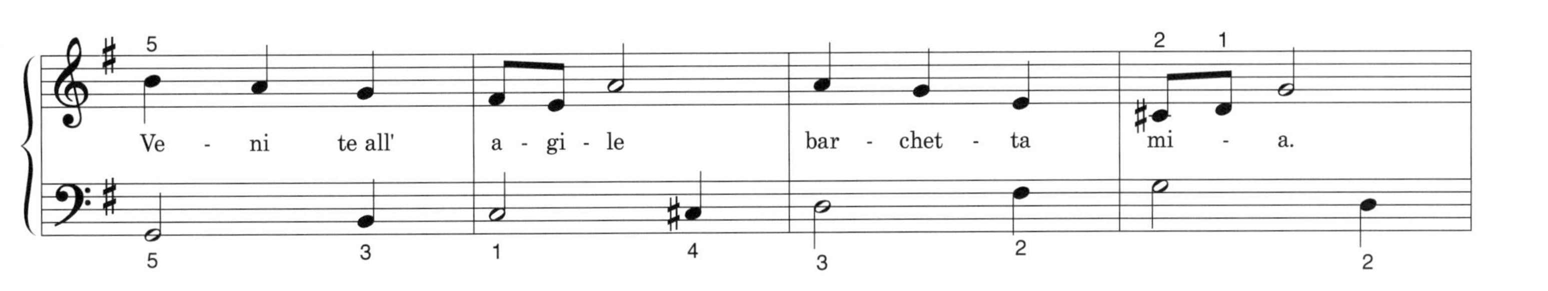

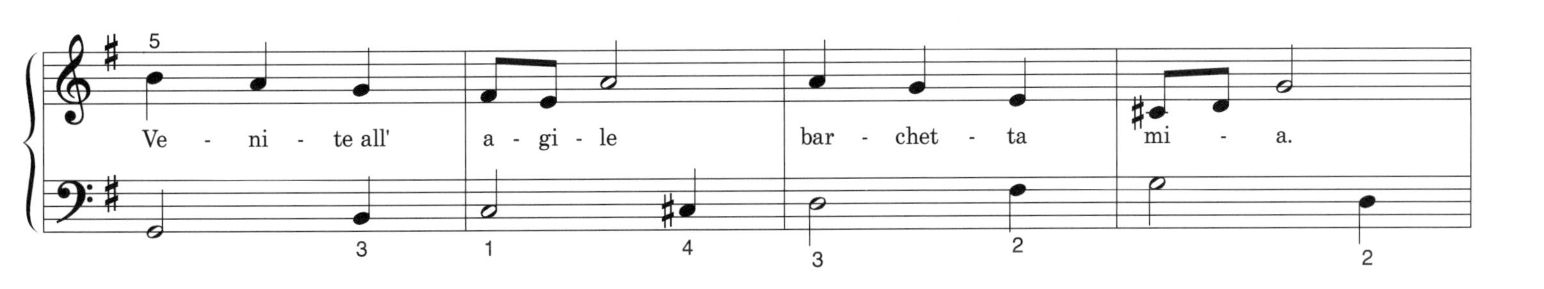

WENN ICH EIN VÖGLEIN WÄR‘

Traditional
Arr.: Peter Herde

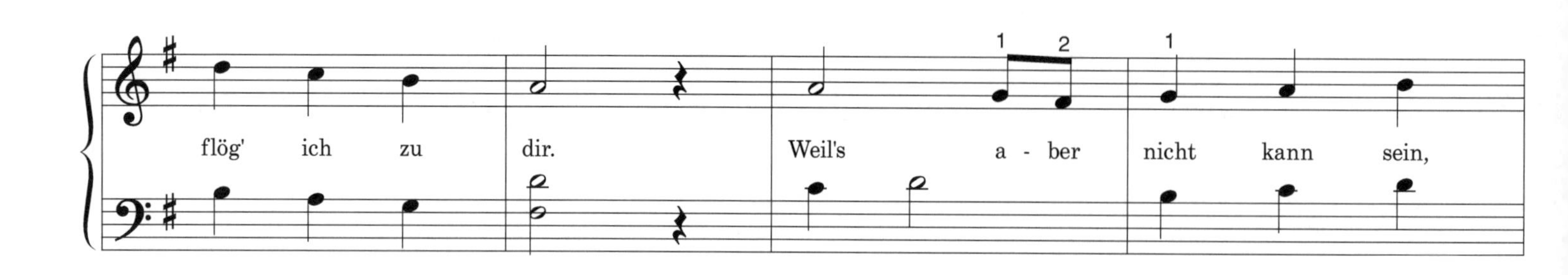

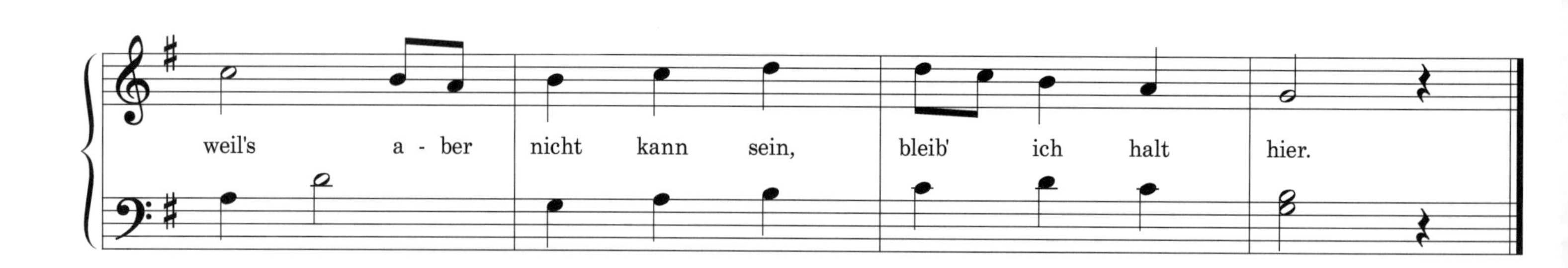

2. Bin ich gleich weit von dir,
bin ich doch im Traum bei dir
und red‘ mit dir;
wenn ich erwachen tu,
wenn ich erwachen tu,
bin ich allein.

3. Es vergeht kein‘ Stund‘ in der Nacht,
da nicht mein Herz erwacht
und an dich denkt,
dass du mir viel tausendmal,
dass du mir viel tausendmal,
dein Herz geschenkt.

FEINSLIEBCHEN, DU SOLLST MIR NICHT BARFUSS GEH'N

Traditional
Arr.: Peter Herde

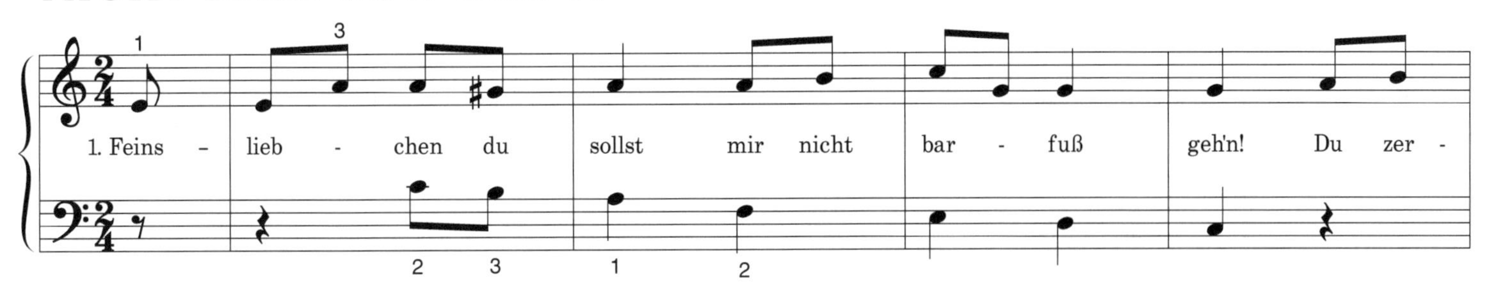

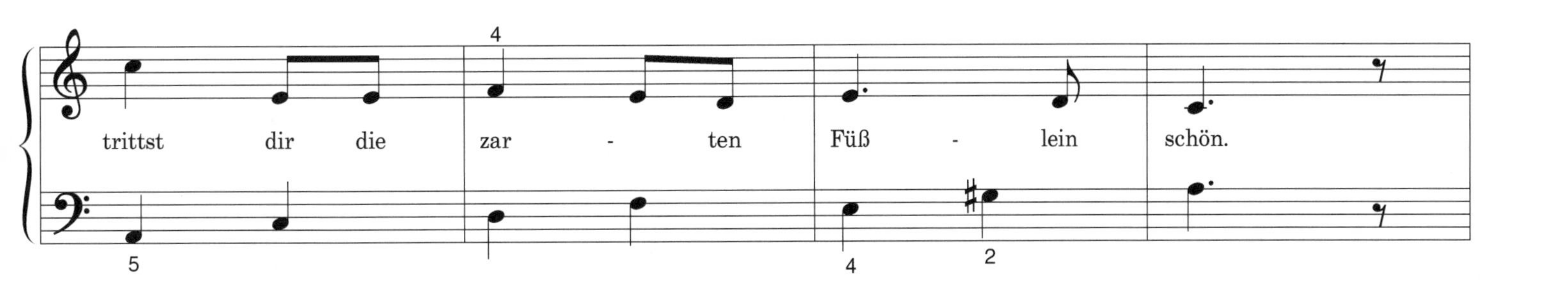

2. „Wie sollte ich denn nicht barfuß geh'n,
hab' keine Schuh' ja anzuzieh'n.
Tra-la-la-la, tra-la-la-la!
Hab' keine Schuh ja anzuzieh'n".

3. Feinsliebchen, willst du mein eigen sein,
so kaufe ich dir ein Paar Schühlein fein.
Tra-la-la-la, tra-la-la-la!
So kaufe ich dir ein Paar Schühlein fein.

4. Wie könnte ich denn euer eigen sein,
ich bin ein armes Mägdelein.
Tra-la-la-la, tra-la-la-la!
Ich bin ein armes Mägdelein.

5. Und bist du auch arm, so nehm ich dich doch,
du hast ja die Ehr und die Treue noch.
Tra-la-la-la, tra-la-la-la!
Du hast ja die Ehr und die Treue noch.

6. Was zog er aus seiner Taschen fein?
Von lauter Gold ein Ringelein.
Tra-la-la-la, tra-la-la-la!
Von lauter Gold ein Ringelein.

KALINKA

Traditional
Arr.: Peter Herde

ALS ZUM WALD PETRUSCHKA GING

Traditional
Arr.: Peter Herde

2. Plötzlich stand Kathinka da. Er küsst sie, und sie sagt: „Ja!“
Und Petruschka war ganz verliebt mit Haut und Haar.

3. Und sie sprach beim Finkenschlag: „Morgen ist mein Namenstag.
Komm Petruschka mein, morgen gibt es Schnaps und Wein!“

4. Bei Kathinkas Fest man bot Wodka, Wein und Zuckerbrot.
Doch Petruschka kam nicht zum Fest als Bräutigam.

5. Die Kathinka ärgert sich, dass er sie so ließ im Stich.
Petruschka, das war durchaus kein guter Spaß.

6. Vetter Mischka kommt herbei, tröstet sie und trinkt für zwei.
Petruschka schau: Nun wird Katja Mischas Frau.

IN DEM DUNKLEN WALD VON PAGANOWO

Traditional
Arr.: Peter Herde

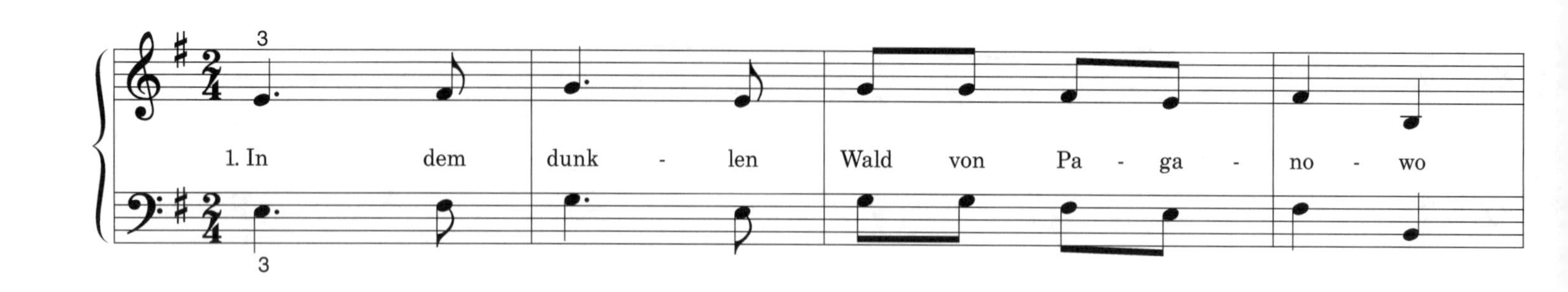

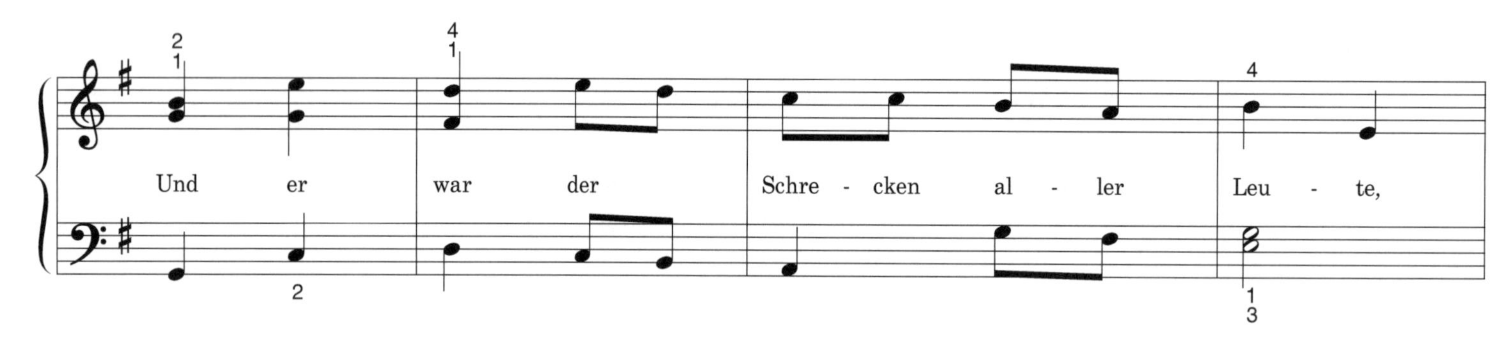

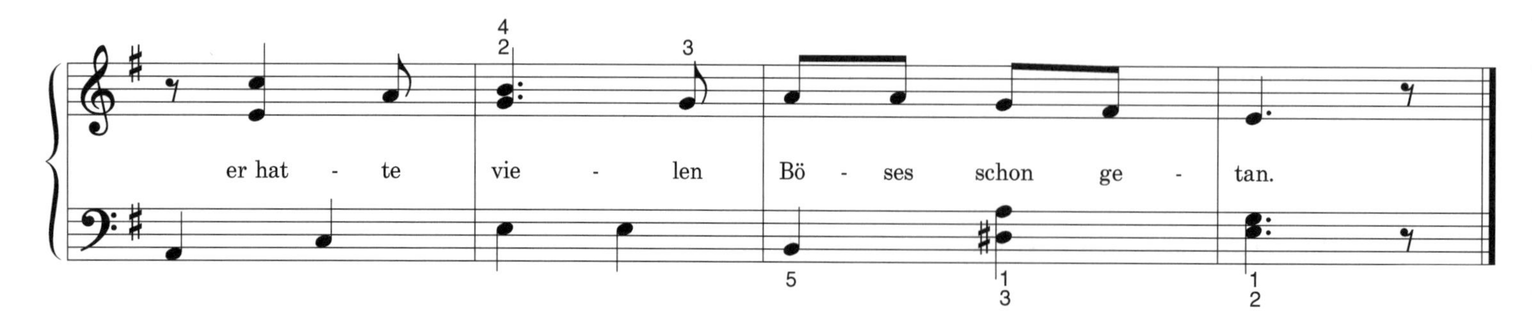

2. Doch da kam der lange Leutnant Nagel,
und er sprach: „Ich fass' ihn mir beim Bart!"
Und er hatt' eine kühne Schar von Rächern
um sich herum geschart zu kühner Tat.

3. In den dunklen Wald von Paganowo
brach er ein bei Tag und auch bei Nacht,
bis er dann den frechen Räuberburschen
eines Tags zur Strecke hat gebracht.

4. Tot liegt nun im Wald von Paganowo
der verruchte, böse Räuberhund.
Und das Lied vom langen Leutnant Nagel
geht nun in Russland um von Mund zu Mund.

Berufe / Working Hour

HENRY JOY

Traditional
Arr.: Peter Bach

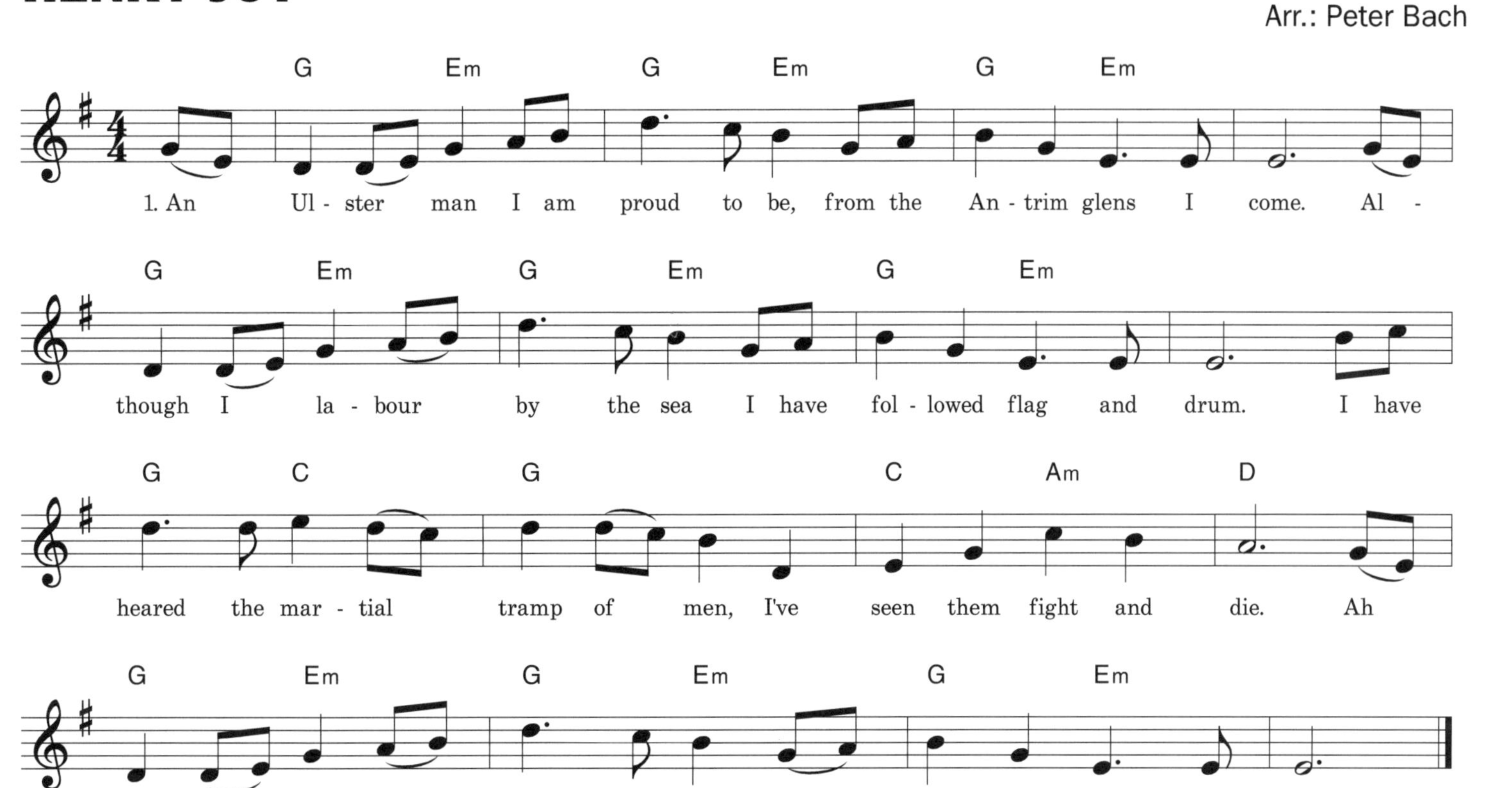

2. I pulled my boat up from the seas,
I hid my sails away.
I hung my nets on a greenwood tree
and I scanned the moonlit bay.
The boys were out and the Redcoats too,
I kissed my wife goodbye.
And in the shade of the greenwood glade
I followed Henry Joy.

3. In Antrim town the tyrant stood,
he tore our ranks with ball.
But with a cheer and a pike to clear
we swept them o'er the wall.
Our pikes and sabres flashed that day.
We won, but lost, ah, why?
No matter lads, I fought beside
and shielded Henry Joy.

4. Ah, boys, for Ireland's cause we fought,
for her and home we bled.
Though our pikes were few still our heart beat true
and five to one lay dead.
And many a lassie mourned her lad
and mother mourned her boy:
For youth was strong in that gallant throng
who followed Henry Joy.

ES KLAPPERT DIE MÜHLE

M: Traditional
T: Ernst Anschütz
Arr.: Peter Herde

2. Flink laufen die Räder und drehen den Stein,
   klipp, klapp,
   und mahlen den Weizen zu Mehl uns so fein,
   klipp, klapp!
   Der Bäcker dann Zwieback und Kuchen draus bäckt,
   der immer den Kinder besonders gut schmeckt.
   Klipp, klapp, klipp, klapp, klipp, klapp!

3. Wenn reichliche Körner das Ackerfeld trägt,
   klipp, klapp,
   die Mühle dann flink ihre Räder bewegt,
   klipp, klapp!
   Und schenkt uns der Himmel nur immerdar Brot,
   so sind wir geborgen und leiden nicht Not.
   Klipp, klapp, klipp, klapp, klipp, klapp!

HIMMEL UND ERDE MÜSSEN VERGEH'N

Traditional
Arr.: Peter Herde

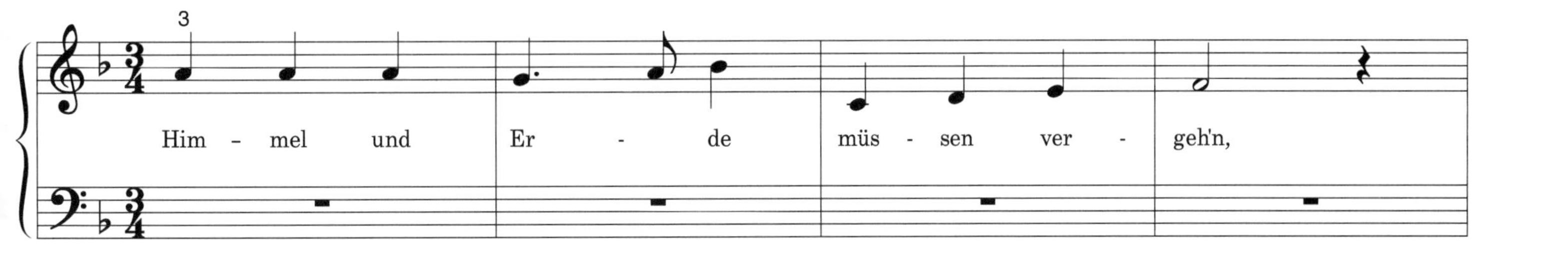

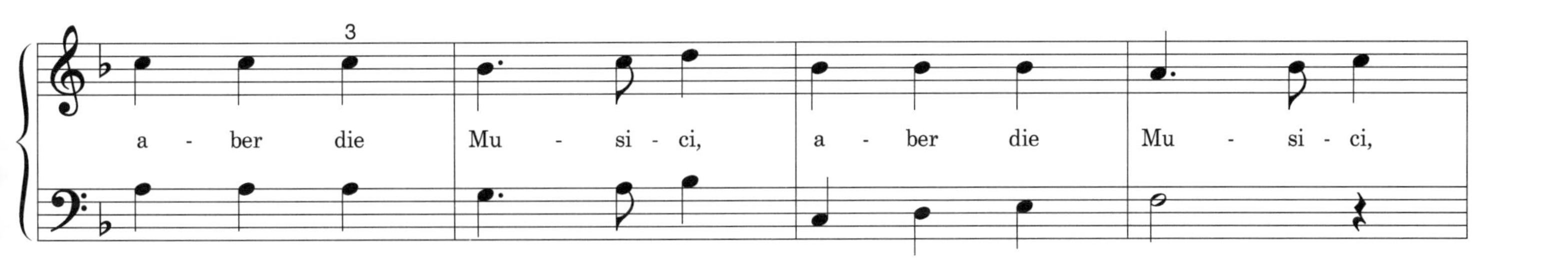

WAS MACHT DER FUHRMANN?

Traditional
Arr.: Peter Herde

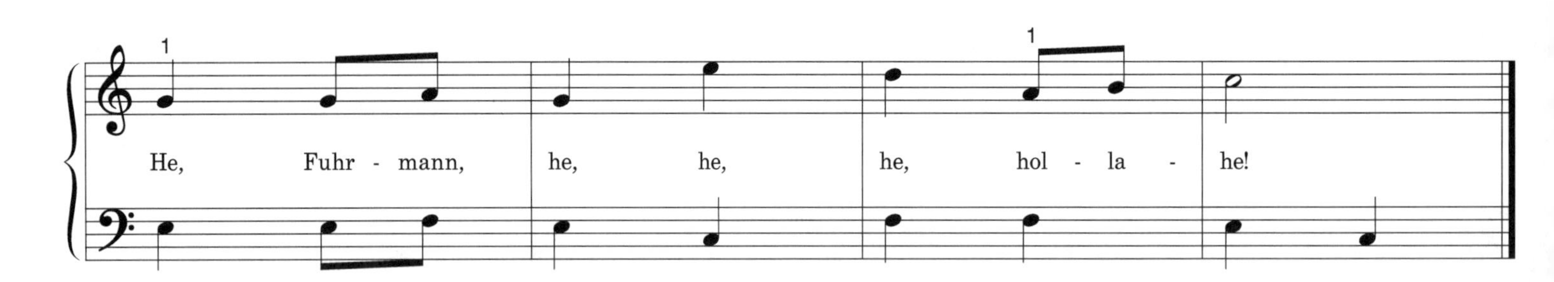

2. Was macht der Fährmann?
Der Fährmann legt ans Ufer an
und denkt: Ich halt' nicht lange still,
es komme, wer da kommen will.
He, Fuhrmann ...

3. Da kam der Fuhrmann
mit seinem großen Wagen an,
der war mit Kisten vollgespickt,
dass sich der Fährmann sehr erschrickt.
He, Fuhrmann ...

4. Da sprach der Fährmann:
Ich fahr' euch nicht, Gevattersmann,
gebt mir nicht aus jeder Kist'
ein Stück von dem, was drinnen ist.
He, Fuhrmann ...

5. Ja, sprach der Fuhrmann.
Und als sie kamen drüben an,
da öffnet er die Kisten geschwind,
da war nichts drin als lauter Wind.
He, Fuhrmann ...

WOLLT IHR WISSEN, WIE DER BAUER SEINEN HAFER AUSSÄT?

Traditional
Arr.: Peter Herde

2. Wollt ihr wissen, wie der Bauer, ...
seinen Hafer abmäht?
Sehet, so, so macht's der Bauer, ...
wenn er Hafer abmäht.

HÖRT IHR DIE DRESCHER

Traditional
Arr.: Peter Herde

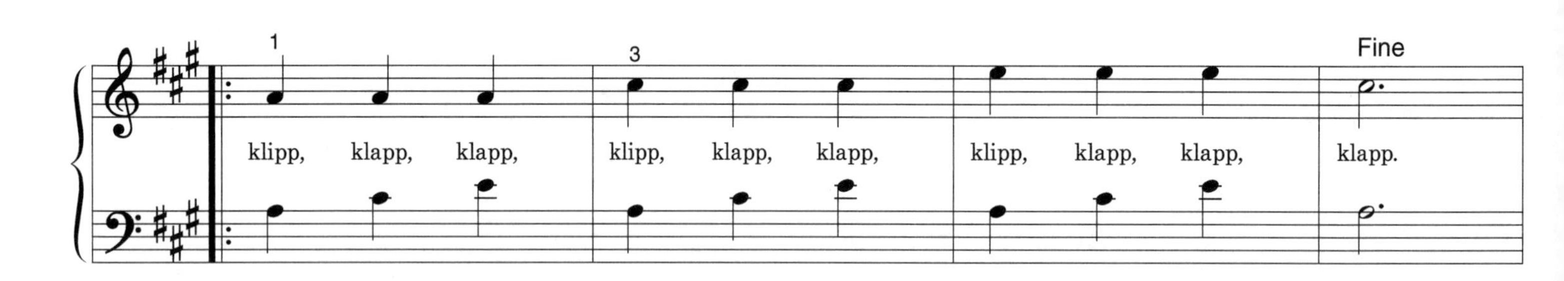

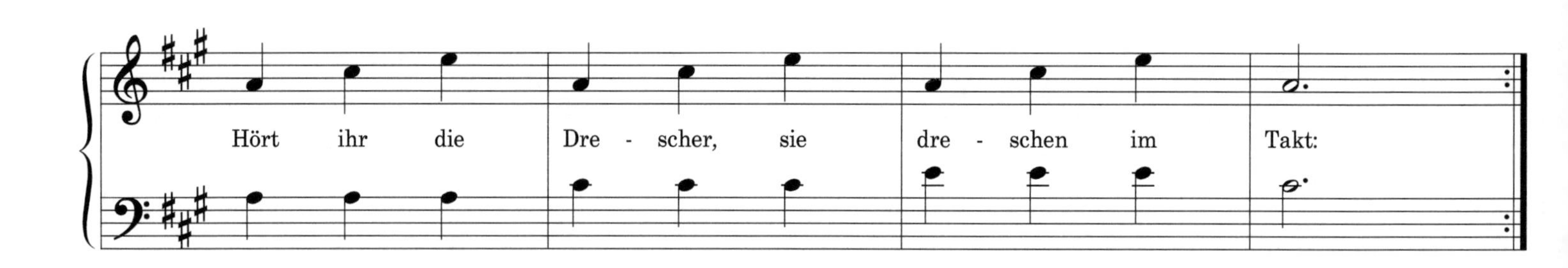

HEUT' SOLL DAS GROSSE FLACHSERNTEN SEIN

Traditional
Arr.: Peter Herde

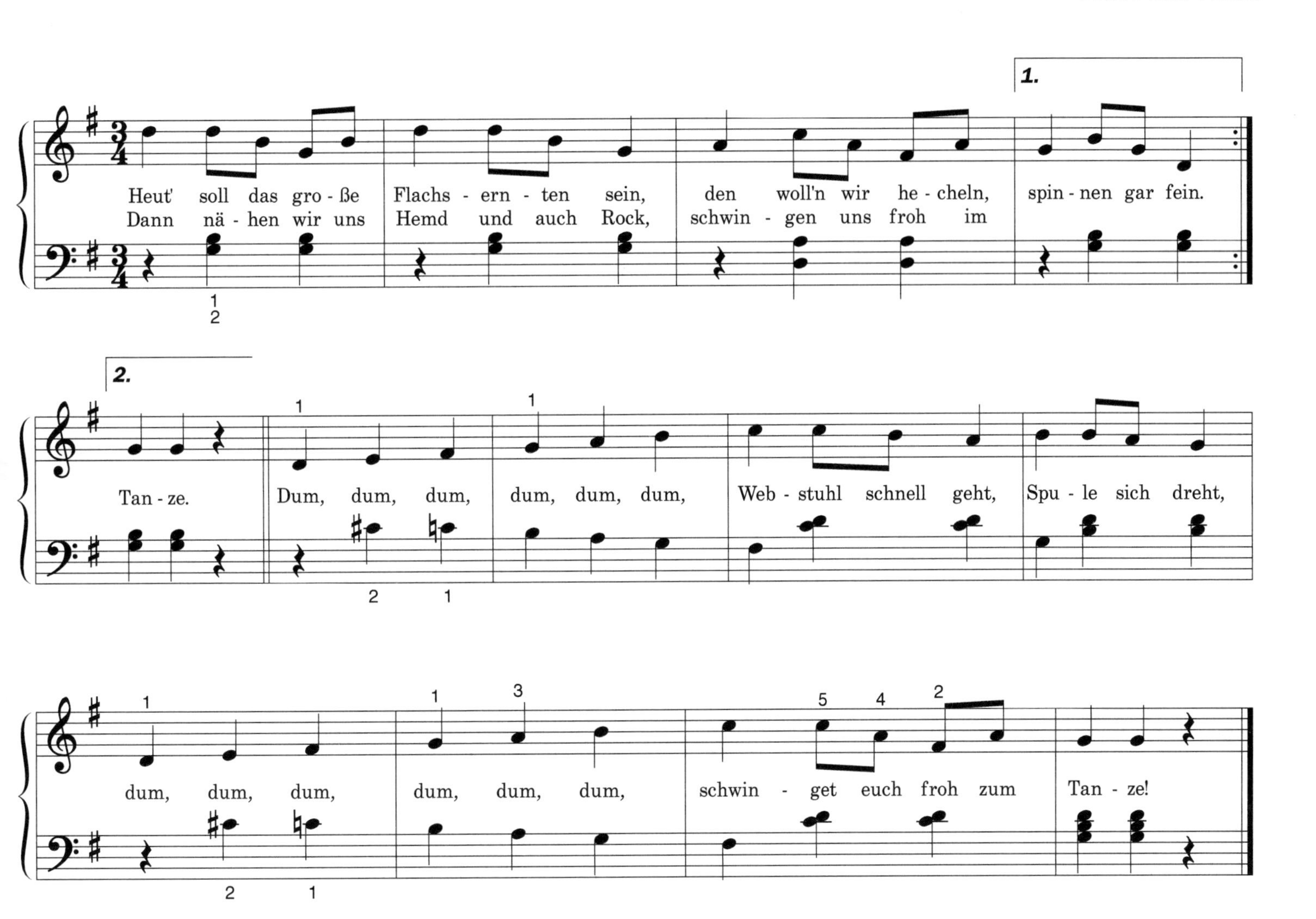

DAS WANDERN IST DES MÜLLERS LUST

M: Carl Friedrich Zöllner
T: Wilhelm Müller
Arr.: Peter Herde

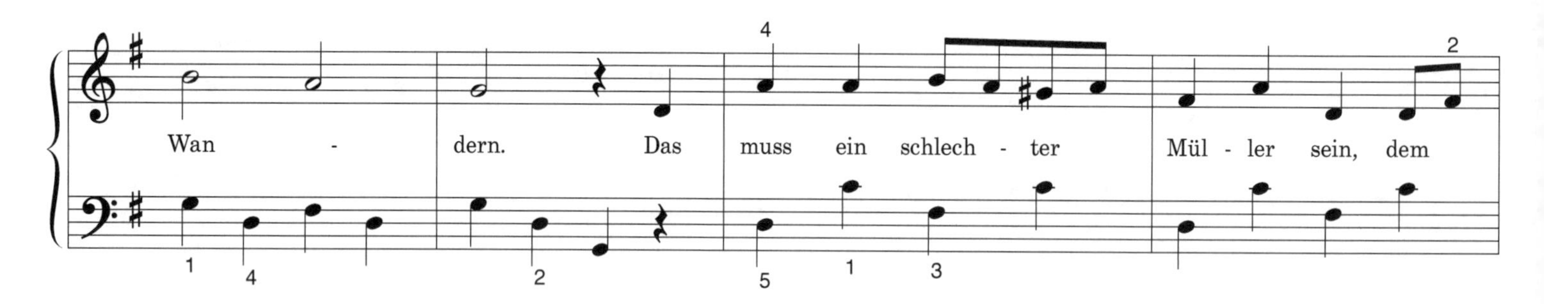

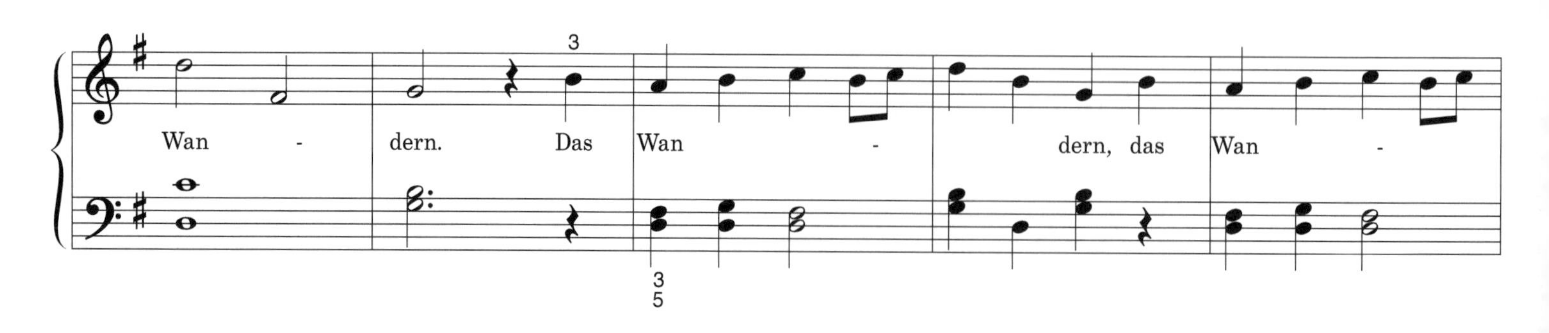

2. Vom Wasser haben wir's gelernt,
vom Wasser haben wir's gelernt,
vom Wasser:
Das hat nicht Rast bei Tag und Nacht,
ist stets auf Wanderschaft bedacht,
ist stets auf Wanderschaft bedacht,
das Wasser. Das Wasser ...

3. Das seh'n wir auch den Rädern ab,
das seh'n wir auch den Rädern ab,
den Rädern:
Die gar nicht gerne stille steh'n,
die sich mein Tag nicht müde dreh'n,
die sich mein Tag nicht müde dreh'n,
die Räder. Die Räder ...

4. Die Steine selbst, so schwer sie sind,
die Steine selbst, so schwer sie sind,
die Steine:
Sie tanzen mit den munter'n Reih'n
und wollen gar noch schneller sein,
und wollen gar noch schneller sein,
die Steine. Die Steine ...

5. O Wandern, Wandern meine Lust,
o Wandern, Wandern meine Lust,
o Wandern!
Herr Meister und Frau Meisterin,
lasst mich in Frieden weiterzieh'n.
Lasst mich in Frieden weiterzieh'n
und wandern. Und wandern ...

WER WILL FLEISSIGE HANDWERKER SEH'N

Traditional
Arr.: Peter Herde

2. Wer will fleißige Handwerker seh'n?
Der muss zu uns Kindern gehn!
O wie fein, o wie fein,
der Glaser setzt die Scheiben ein.

3. Wer will fleißige Handwerker seh'n?,
Der muss zu uns Kindern gehn!
Tauchet ein, tauchet ein,
der Maler streicht die Wände fein.

4. Wer will fleißige Handwerker seh'n?
Der muss zu uns Kindern gehn!
Zisch, zisch, zisch, zisch, zisch, zisch,
der Tischler hobelt glatt den Tisch.

ICH BIN EIN MUSIKANTE

Traditional
Arr.: Peter Herde

EINE KLEINE GEIGE MÖCHT' ICH HABEN

M: Franz Lachner
T: A. H. Hoffmann v. Fallersleben
Arr.: Peter Herde

2. Eine kleine Geige klingt so lieblich,
eine kleine Geige klingt gar schön.
Nachbars Kinder, unser Spitz,
alle kämen wie der Blitz
und sängen und sprängen mit mir auch herum
und sängen und sprängen mit mir auch herum.
Eine kleine Geige klingt so lieblich,
eine kleine Geige klingt gar schön.

DIE ISLANDFISCHER

Traditional
Arr.: Peter Herde

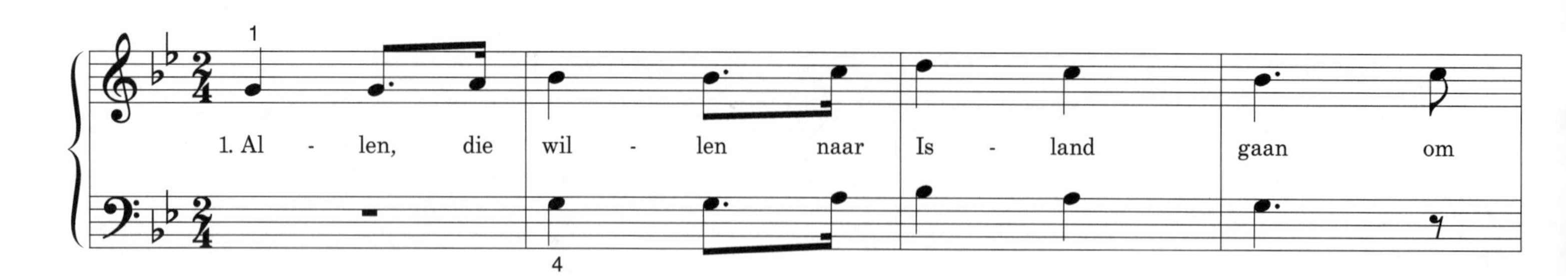

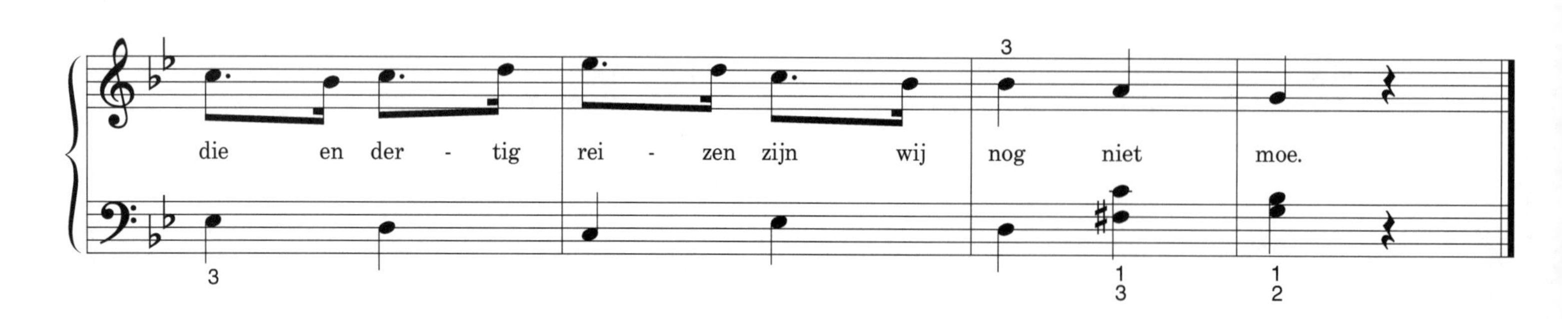

2. Komt ons de tijd van de fooje aan,
wij dansen met behagen,
en wij weten van geen klagen.
Maar komt de tijd, maar komt de tijd
naar zee te gaan,
dan is er wel ens hoofd
van zorgen zwaar belaân!

Geburtstag – Feier
It's Party Time

DERRY HORNPIPE

Traditional
Arr.: Peter Bach

CAROLAN'S CONCERTO

Traditional
Arr.: Peter Bach

ALL FOR ME GROG

Traditional
Arr.: Carlos Molino

2. And it's all for me grog, me jolly, jolly grog;
all for me beer and tobacco.
Well I spent all me tin on the lassies drinking gin
and across the western ocean I must wander.
Instrumental
Ah, where is me shirt, me noggin', noggin' shirt?
It's all gone for beer and tobacco.
Well, the sleeves are worn out and the collar turned about,
and my back is looking out for better weather.

3. And it's all for me grog …
Instrumental
Now, where is me wife, me noggin', noggin' wife?
She's also for beer and tobacco.
Well, the front is all worn out
and the tail's kicked about,
and she is looking out for better weather.

4. And it's all for me grog …
Instrumental
Well, I'm sick in me head and I haven't been to bed,
since first I came ashore with me plunder.
I see centipedes and snakes and my bed is full of eggs,
and I think I'll beat a path for way up yonder.
And it's all for me grog …

NEWMARRIED COUPLE

Traditional
Arr.: Peter Bach

WHISKEY IN THE JAR

Traditional
Arr.: Carlos Molino

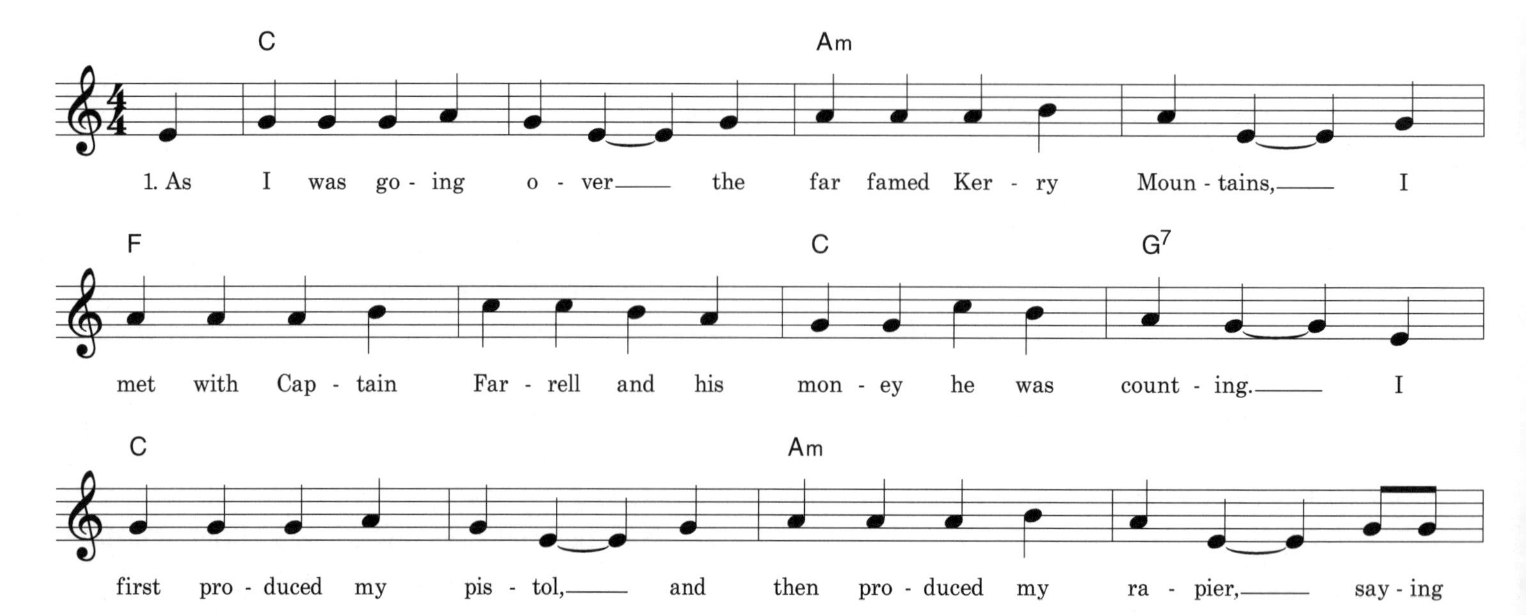

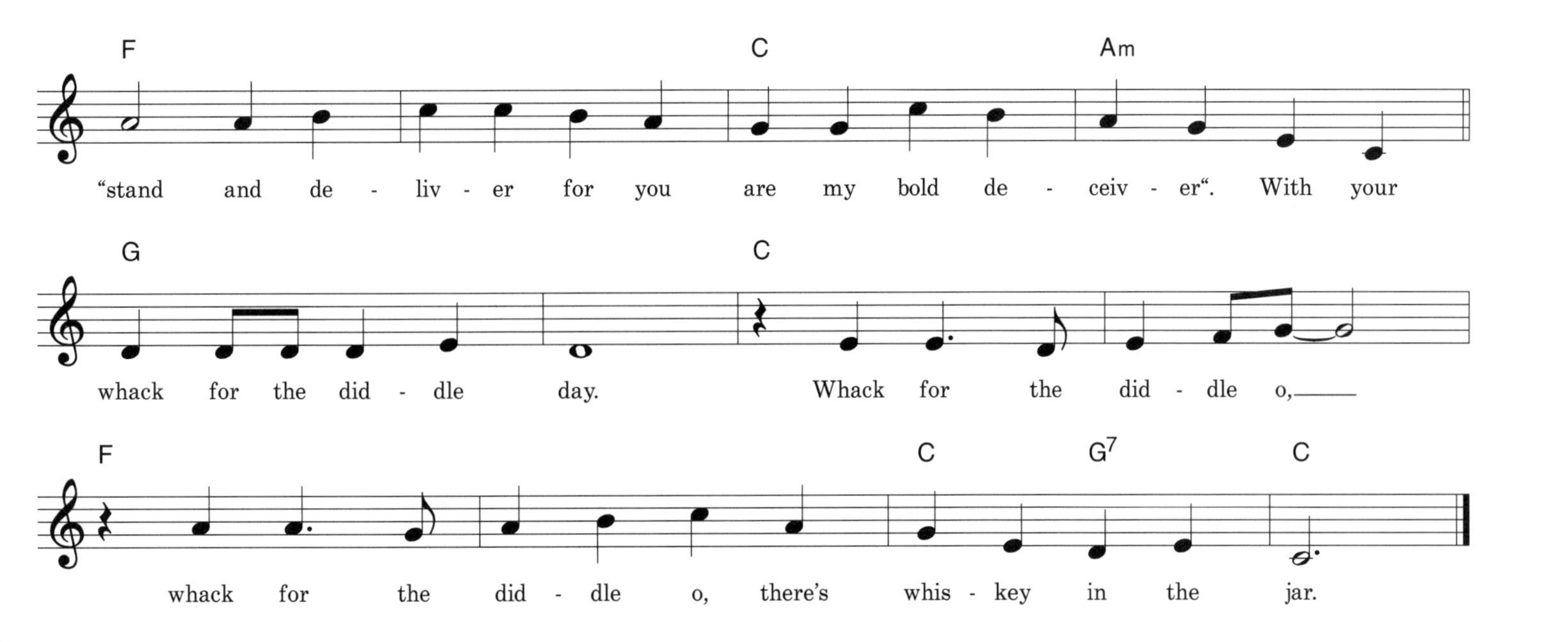

2. He counted out his money and it made a pretty penny,
   I put it in my pocket and I gave it to my Jenny.
   She sighed and she swore that she never would deceive me,
   but the devil take the women for they never can be easy.
   With your whack for the diddle day. Whack for the diddle o,
   whack for the diddle o, there's whiskey in the jar.

3. I went into my chamber all for to take a slumber,
   I dreamt of gold and jewels and for sure it was no wonder.
   But Jenny took my charges and filled them up with water,
   and sent for Captain Farrell to be ready for the slaughter.
   With your whack for the ...

4. And 'twas early in the morning before I rose to travel,
   the guards were all around me and likewise Captain Farrell.
   I then produced my pistol, for she stole away my rapier,
   but I couldn't shoot the water so a prisoner I was taken.
   With your whack for the ...

5. If anyone can aid me it's my brother in the army,
   if I could learn his station in Cork or in Killarney.
   And if he'd come and join me, we'd go rovin' in Kilkenny.
   I swear he'd treat me fairer than me darling sporting Jenny.
   With your whack for the ...

HOCH SOLL ER/SIE LEBEN

Traditional
Arr.: Peter Herde

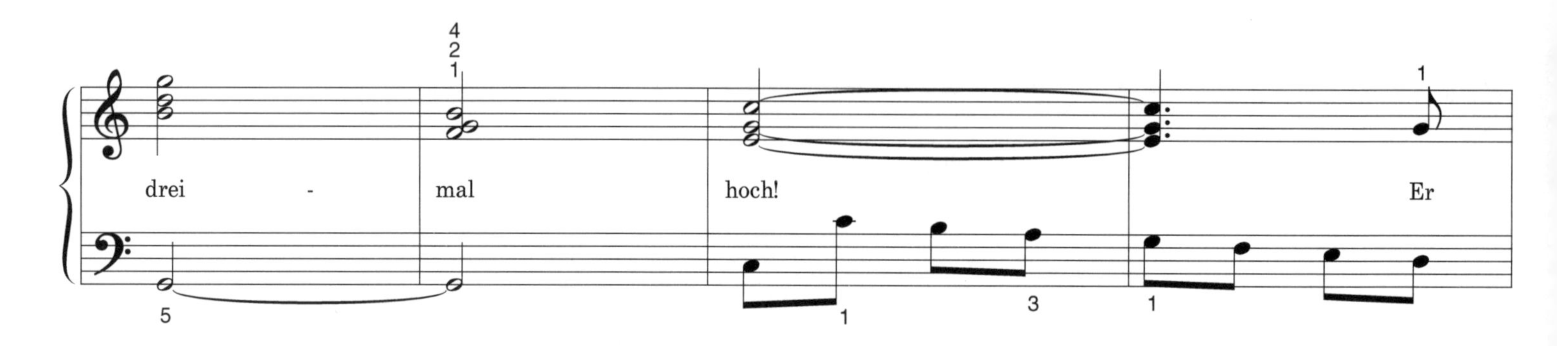

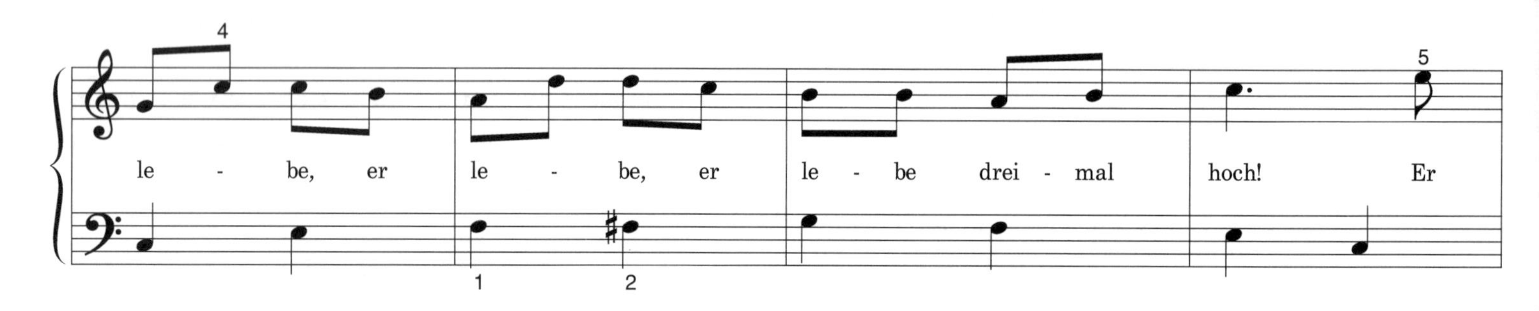

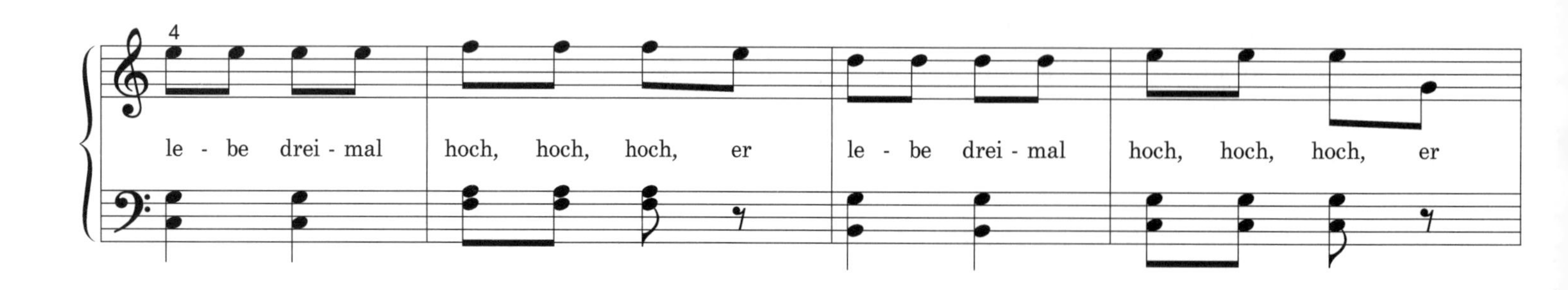

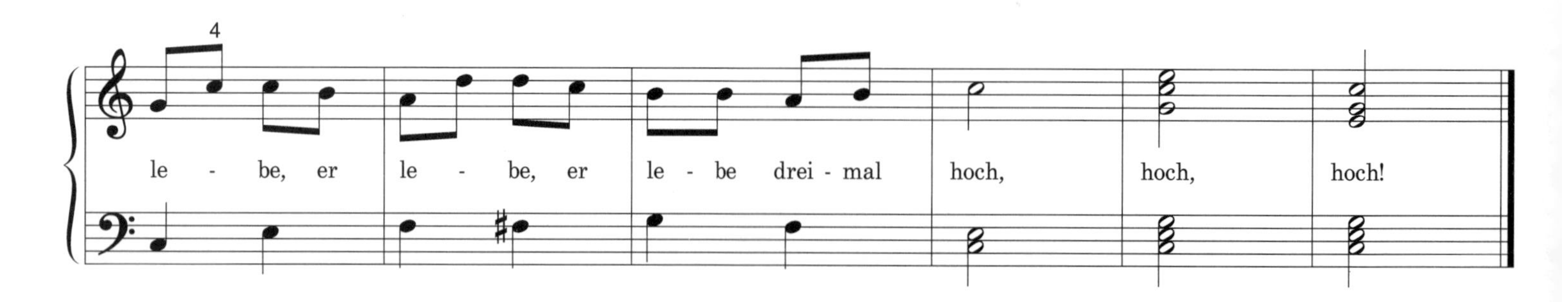

HAPPY BIRTHDAY TO YOU

M: Mildred J. Hill
Arr.: Peter Herde

AUF, IHR KINDER, AUF UND SINGT

M+T: Carl G. Hering
Arr.: Peter Herde

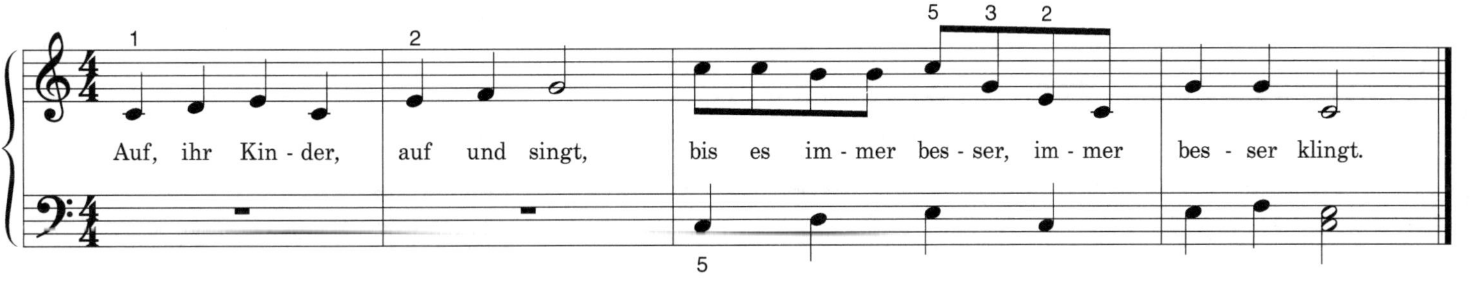

UND WER IM JANUAR GEBOREN IST

Traditional
Arr.: Peter Herde

2. Und wer im Februar geboren ist ...

etc.

UN POQUITO CANTAS

Traditional
Arr.: Peter Herde

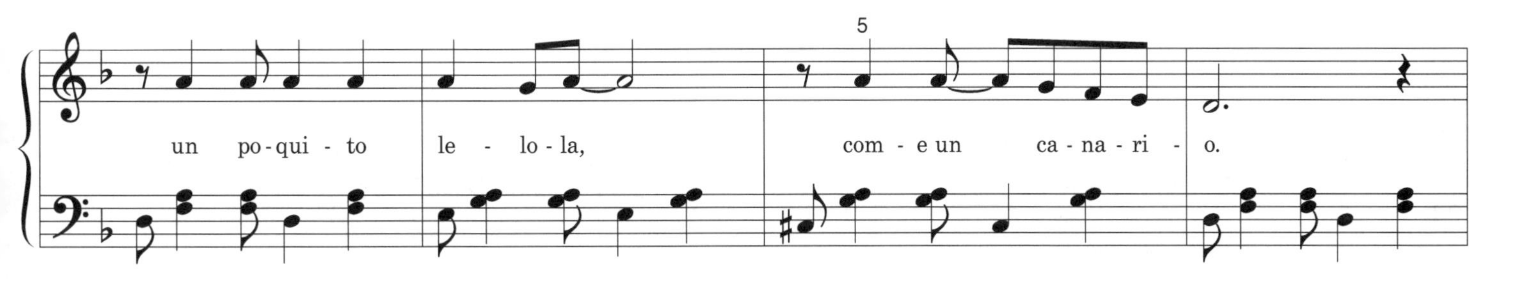

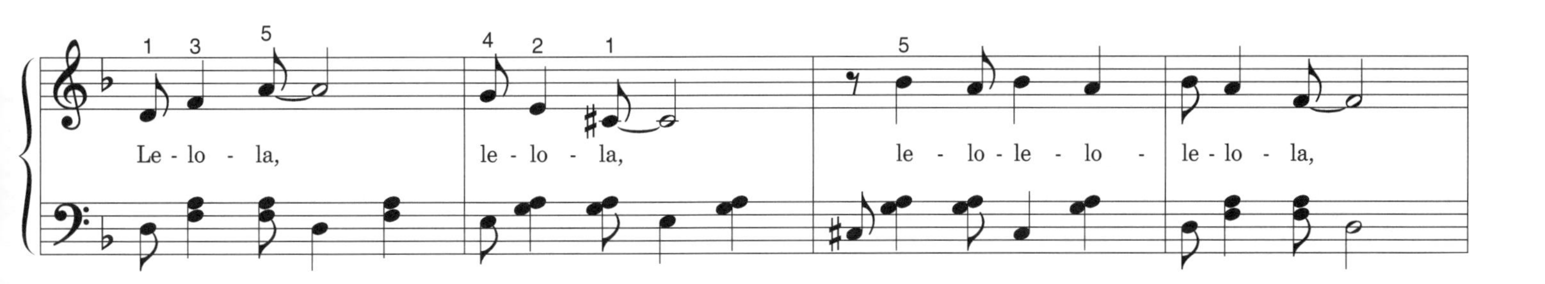

2. Un poquito vino, un poquito aire,
un poquito lelola ...

3. Un poquito vientos, un poquito sombras,
un poquito lelola ...

4. Un poquito machos, un poquito chicas,
un poquito lelola ...

FOR HE'S A JOLLY GOOD FELLOW

Traditional
Arr.: Peter Herde

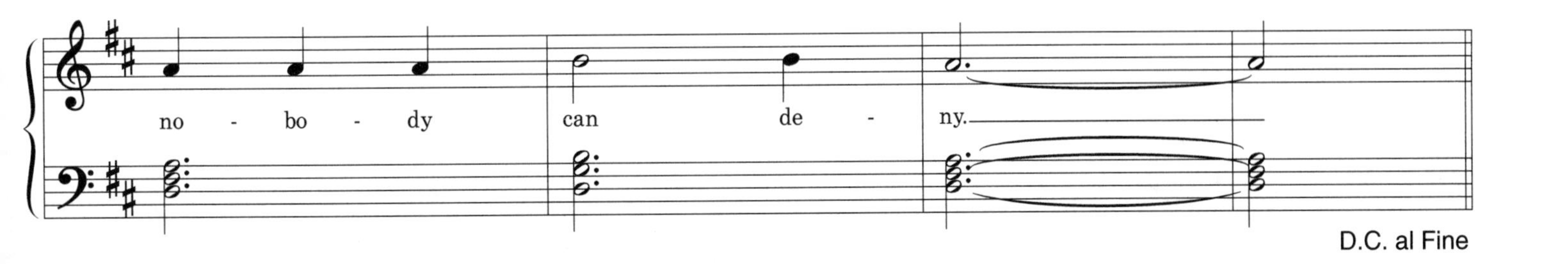

WIR KOMMEN AN UND GRATULIEREN

M: Moritz Hauptmann
T: Traditional
Arr.: Peter Herde

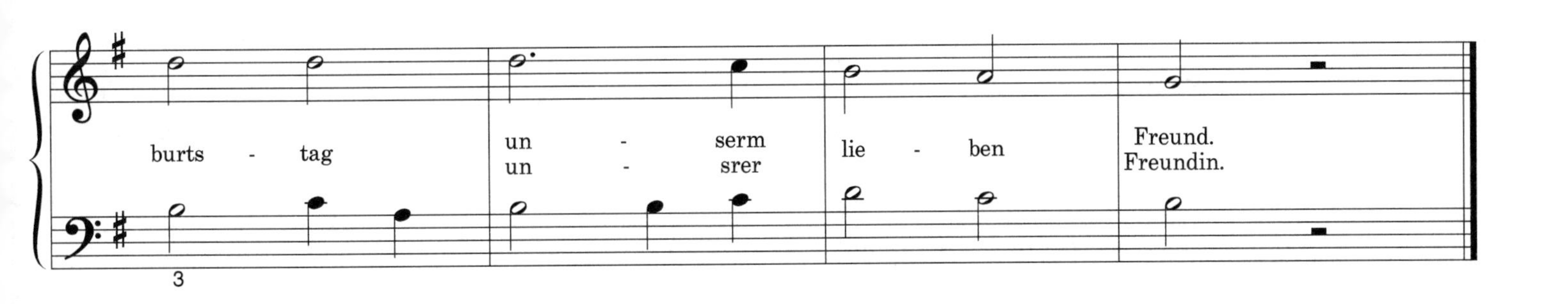

FREUT EUCH DES LEBENS

M: Hans G. Nägeli
T: Johann M. Usteri
Arr.: Peter Herde

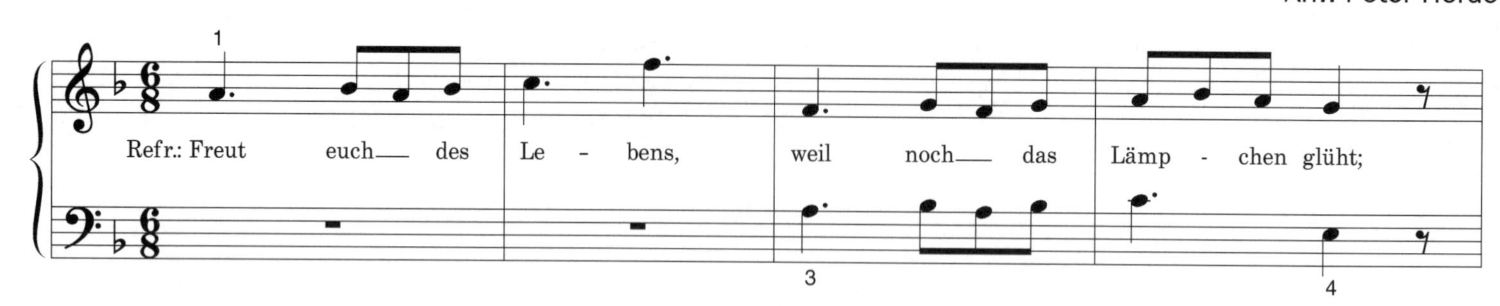

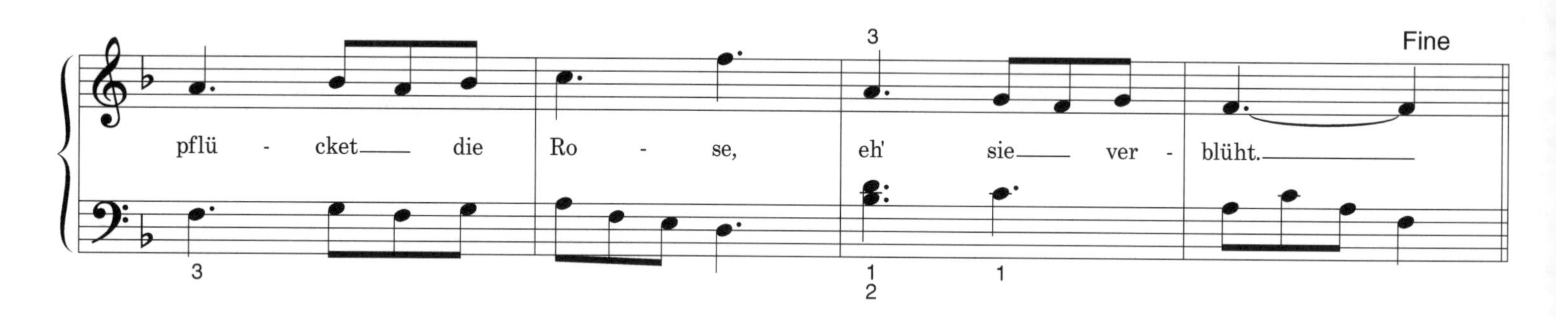

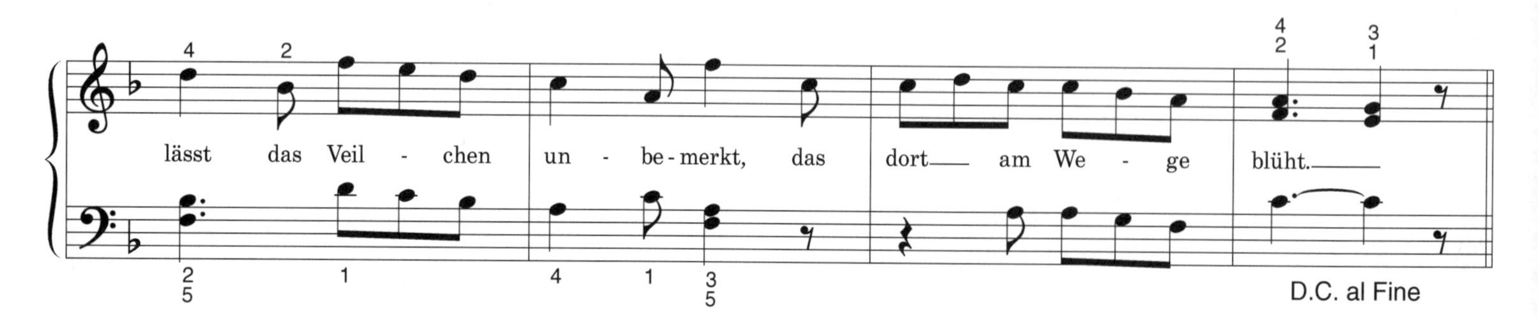

2. Wenn scheu die Schöpfung sich verhüllt
und laut der Donner ob uns brüllt,
so lacht am Abend nach dem Sturm
die Sonne, ach, so schön!

Sternenlieder – Weihnachten
Christmas Time

GOD REST YE MERRY, GENTLEMEN

Traditional
Arr.: Heinz Müller

2. In Bethlehem in Jewry
this blessed babe was born,
and laid within a manger
upon this blessed morn,
the which his mother Mary
nothing did take in scorn.
O tidings of comfort and joy,
comfort and joy,
o tidings of comfort and joy.

I SAW THREE SHIPS

Traditional
Arr.: Heinz Müller

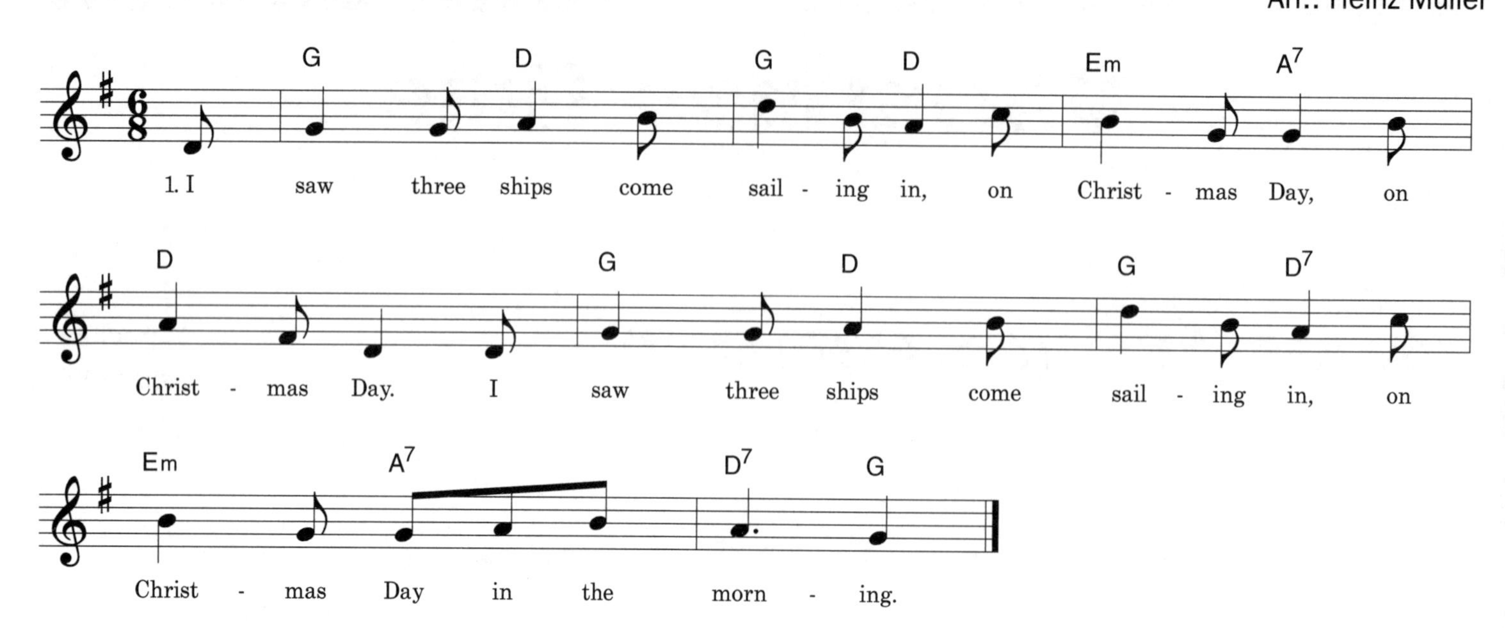

2. And what was in those ships all three,
on Christmas Day, on Christmas Day?
And what was in those ships all three,
on Christmas Day in the morning?

3. Our Saviour Christ and his lady,
on Christmas Day, on Christmas Day,
our Saviour Christ and his lady,
on Christmas Day in the morning.

4. Ray, whither sailed those ships all three,
on Christmas Day, on Christmas Day?
Ray, whither sailed those ships all three,
on Christmas Day in the morning?

5. Oh, they sailed into Bethlehem,
on Christmas Day, on Christmas Day,
oh, they sailed into Bethlehem,
on Christmas Day in the morning.

6. And all the bells on earth shall ring,
on Christmas Day, on Christmas Day,
and all the bells on earth shall ring,
on Christmas Day in the morning!

JOY TO THE WORLD

Traditional
Arr.: Heinz Müller

NATAL

Traditional
Arr.: Heinz Müller

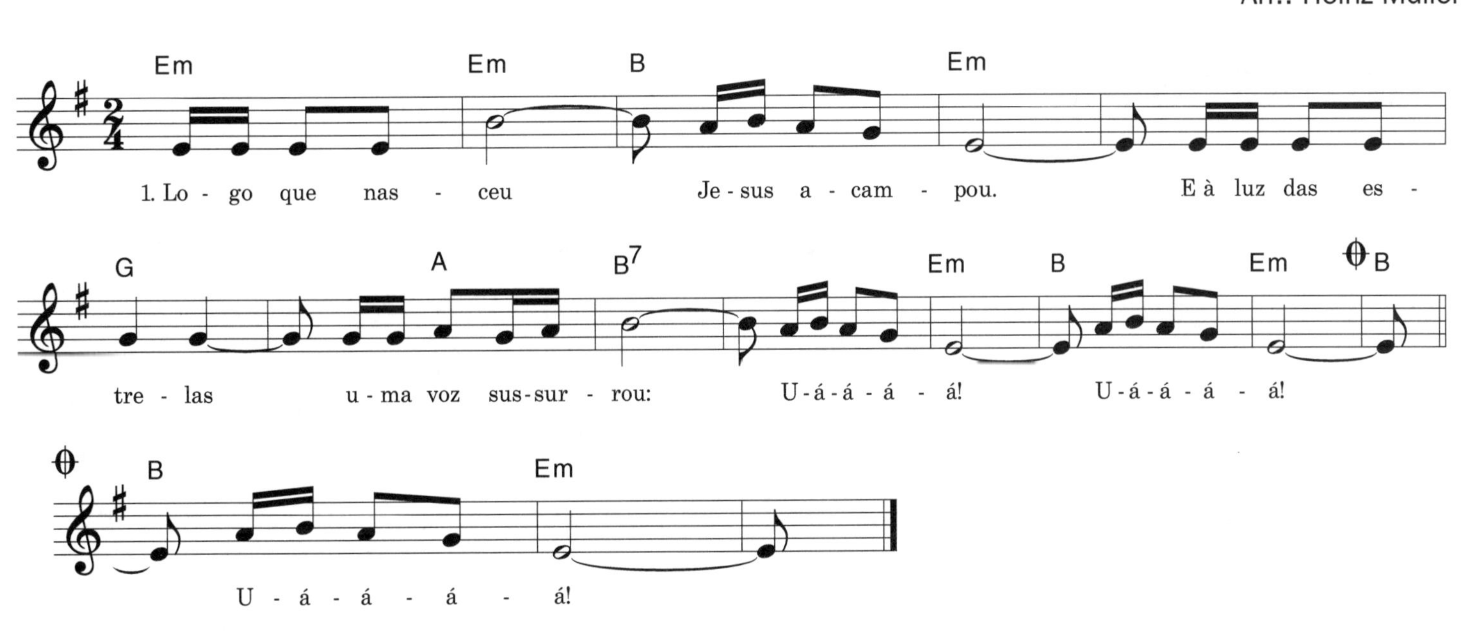

2. Maria, a Senhora,
logo o aconchegou.
E à luz das estrelas
uma voz sussurrou:
U-á-á-á-á!
U-á-á-á-á!

LES ANGES DANS NOS CAMPAGNES

Traditional
Arr.: Heinz Müller

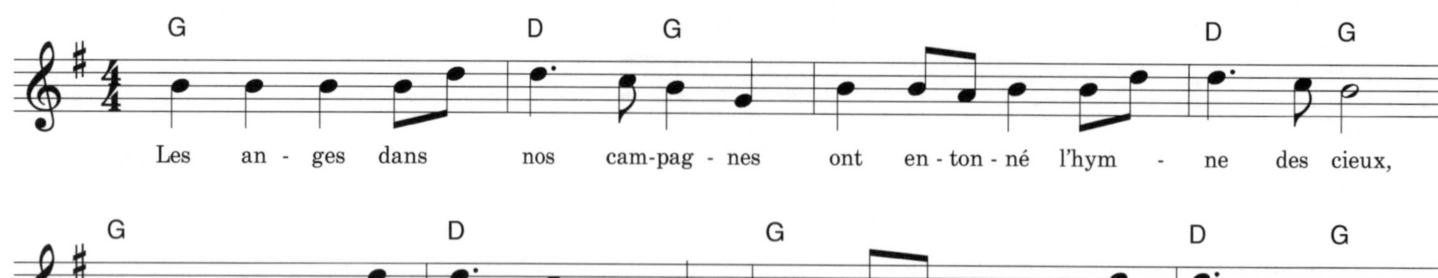

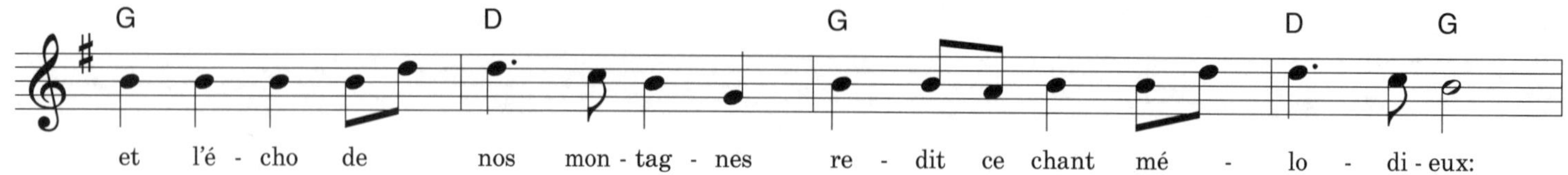

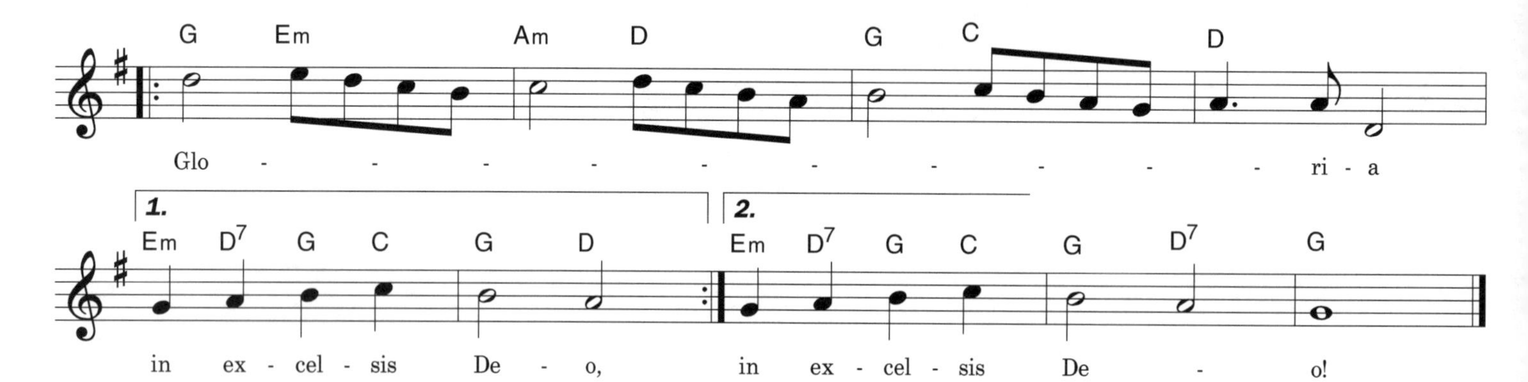

THE FIRST NOËL

Traditional
Arr.: Heinz Müller

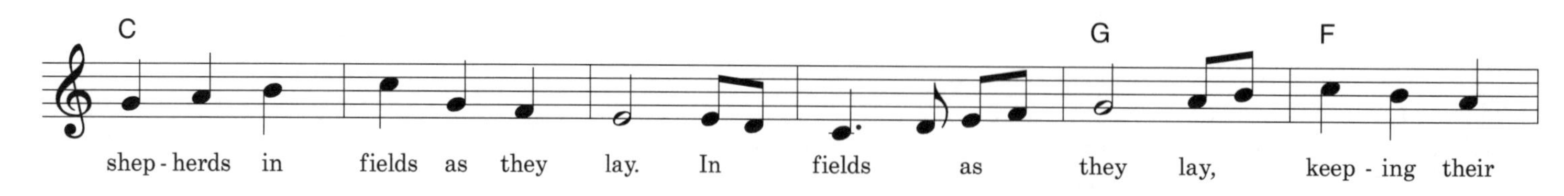

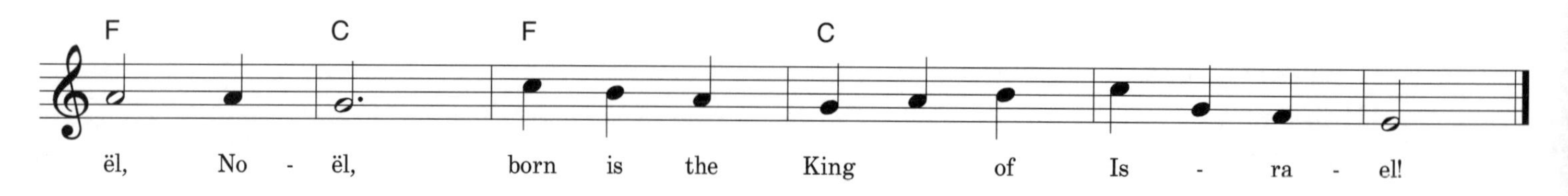

2. They looked up and saw a star
   shining in the east beyond them far.
   And to the earth it gave great light,
   and so it continued both day and night.
   Noël, Noël, Noël, Noël,
   born is the King of Israel!

ICH GEH' MIT MEINER LATERNE

Traditional
Arr.: Peter Herde

2. Ich geh' ...
   Der Martinsmann geht voran.
   Rabimmel, rabammel, rabum, bum bum.

3. Ich geh' ...
   Ein Kuchenduft liegt in der Luft.
   Rabimmel, rabammel, rabum, bum bum.

4. Ich geh' ...
   Beschenkt uns heut', ihr lieben Leut'.
   Rabimmel, rabammel, rabum, bum bum.

5. Ich geh' ...
   Mein Licht ist aus, wir geh'n nach Haus.
   Rabimmel, rabammel, rabum, bum bum.

LATERNE, LATERNE

Traditional
Arr.: Peter Herde

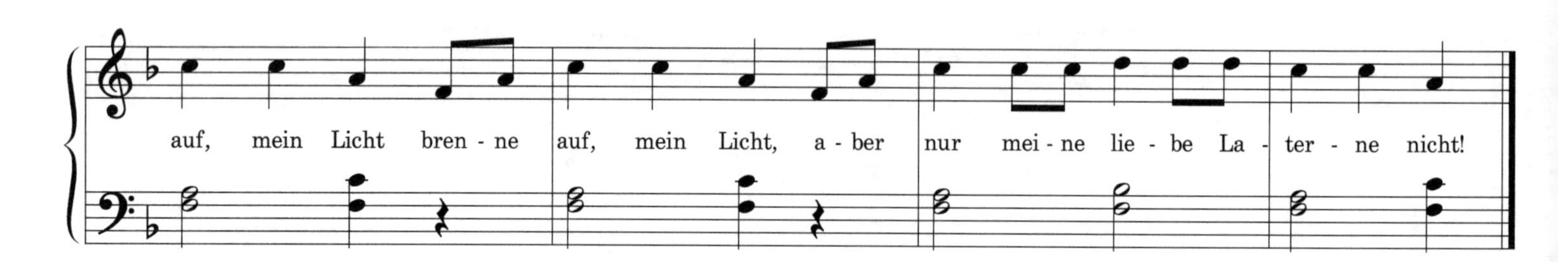

MARTIN IST EIN FROMMER MANN

Traditional
Arr.: Peter Herde

2. Martin, Martin, Martin ritt durch dunklen Wald,
Wind, der wehte bitterkalt.
Saß am Weg ein Bettler alt, wäre gar erfroren bald.

3. Martin, Martin, Martin hält, und unverweilt
seinen Mantel mit ihm teilt.
Ohne Dank er weitereilt. Bettlers Not war nun geheilt.

4. Martin, Martin, Martin ist ein frommer Mann.
Stimmt ihm frohe Lieder an,
dass er oben hören kann, was er unten hat getan.

SANKT MARTIN

Traditional
Arr.: Peter Herde

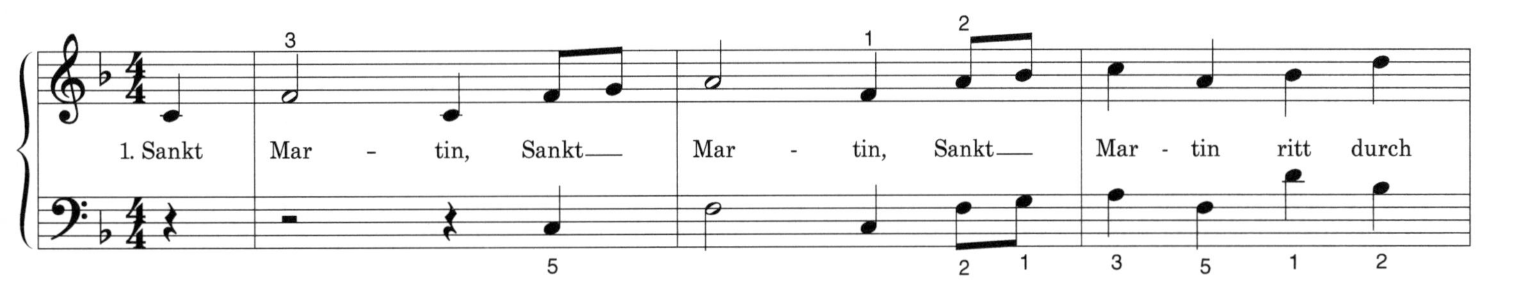

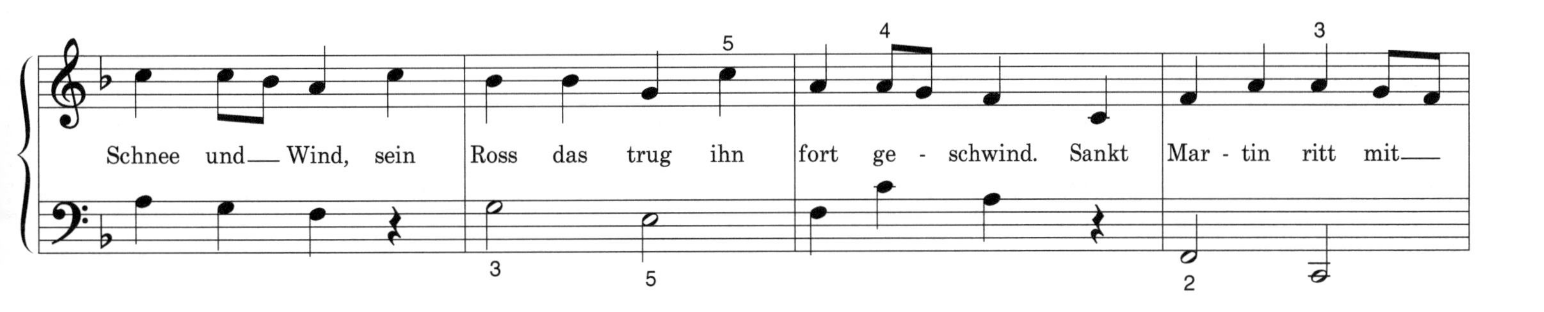

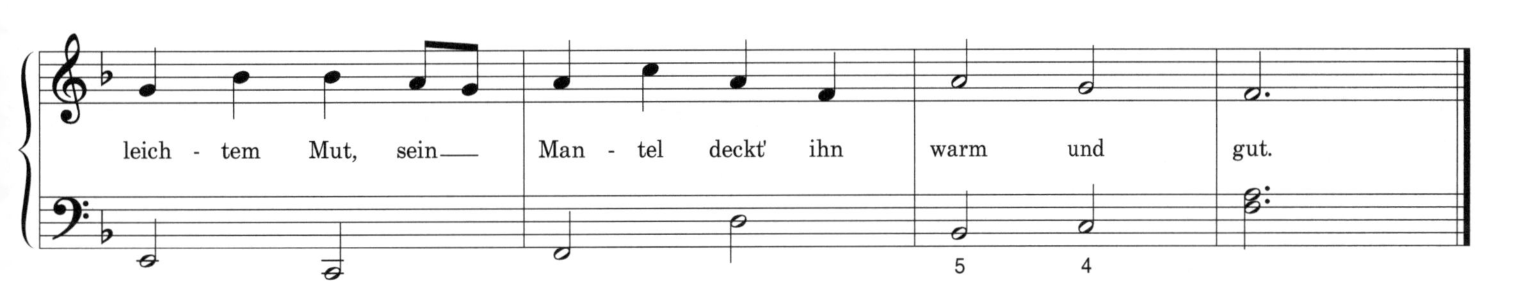

2. Im Schnee saß, im Schnee saß,
im Schnee, da saß ein armer Mann,
hat Kleider nicht, hat Lumpen an.
„O, helft mir doch in meiner Not,
sonst ist der bittre Frost mein Tod!“

3. Sankt Martin, Sankt Martin,
Sankt Martin zog die Zügel an,
das Ross stand still beim armen Mann.
Sankt Martin mit dem Schwerte teilt
den warmen Mantel unverweilt.

4, Sankt Martin, Sankt Martin,
Sankt Martin gab den halben still,
der Bettler rasch ihm danken will.
Sankt Martin aber ritt in Eil‘
hinweg mit seinem Mantelteil.

IN DULCI JUBILO

Traditional
Arr.: Peter Herde

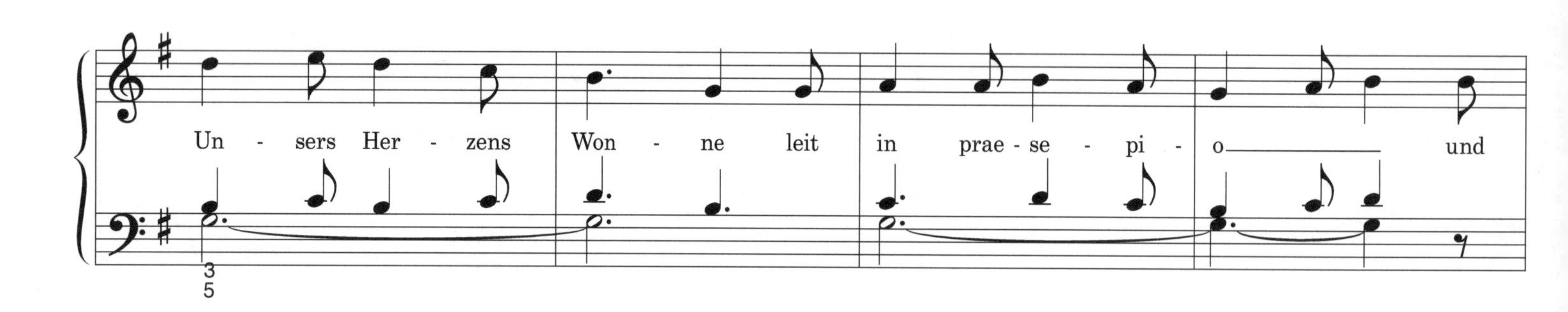

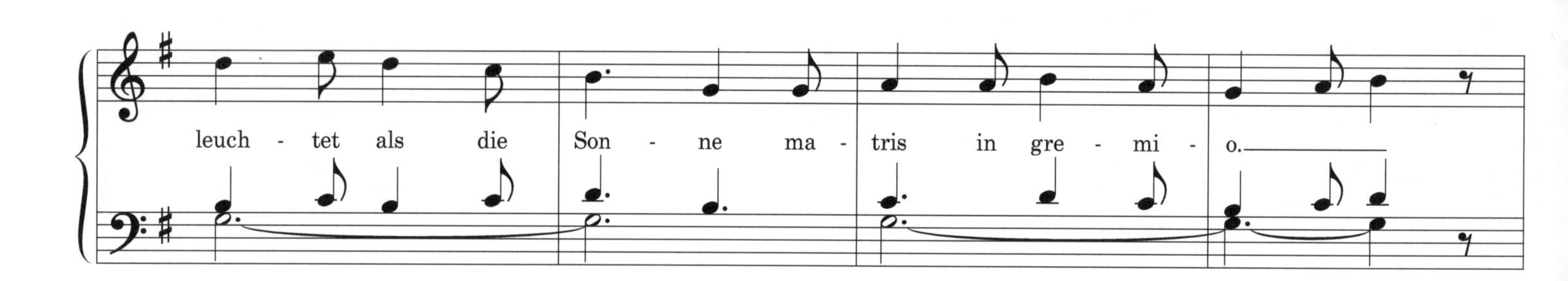

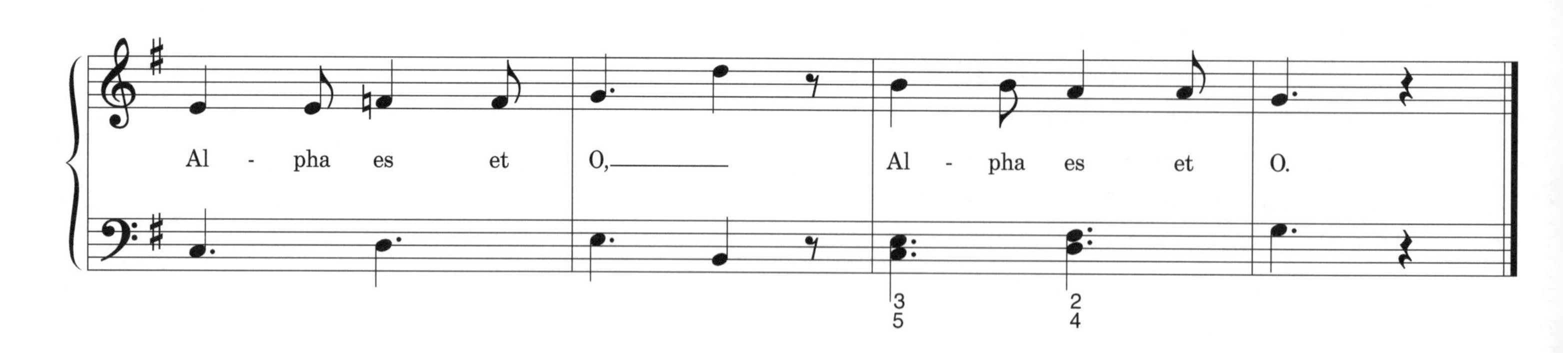

2. O Jesu parvule, nach dir ist mir so weh.
Tröst mir mein Gemüte, o puer optime,
durch alle deine Güte, o princeps gloriae.
Trahe me post te; trahe me post te.

3. Ubi sunt gaudia? Nirgend mehr denn da,
wo die Engel singen nova cantica
und die Schellen klingen in regis curia.
Eia, wär'n wir da; eia, wär'n wir da.

ALLE JAHRE WIEDER

M: Traditional
T: Wilhelm Hey, Ernst Anschütz
Arr.: Oliver Behls

Rhythm: 8-Beat, Pop

2. Kehrt mit seinem Segen
   ein in jedes Haus,
   geht auf allen Wegen
   mit uns ein und aus.

3. Steht auch mir zur Seite,
   still mir zugewandt,
   dass es treu mich leite
   an der lieben Hand.

ES IST FÜR UNS EINE ZEIT ANGEKOMMEN

Traditional
Arr.: Oliver Behls

Rhythm: 8-Beat

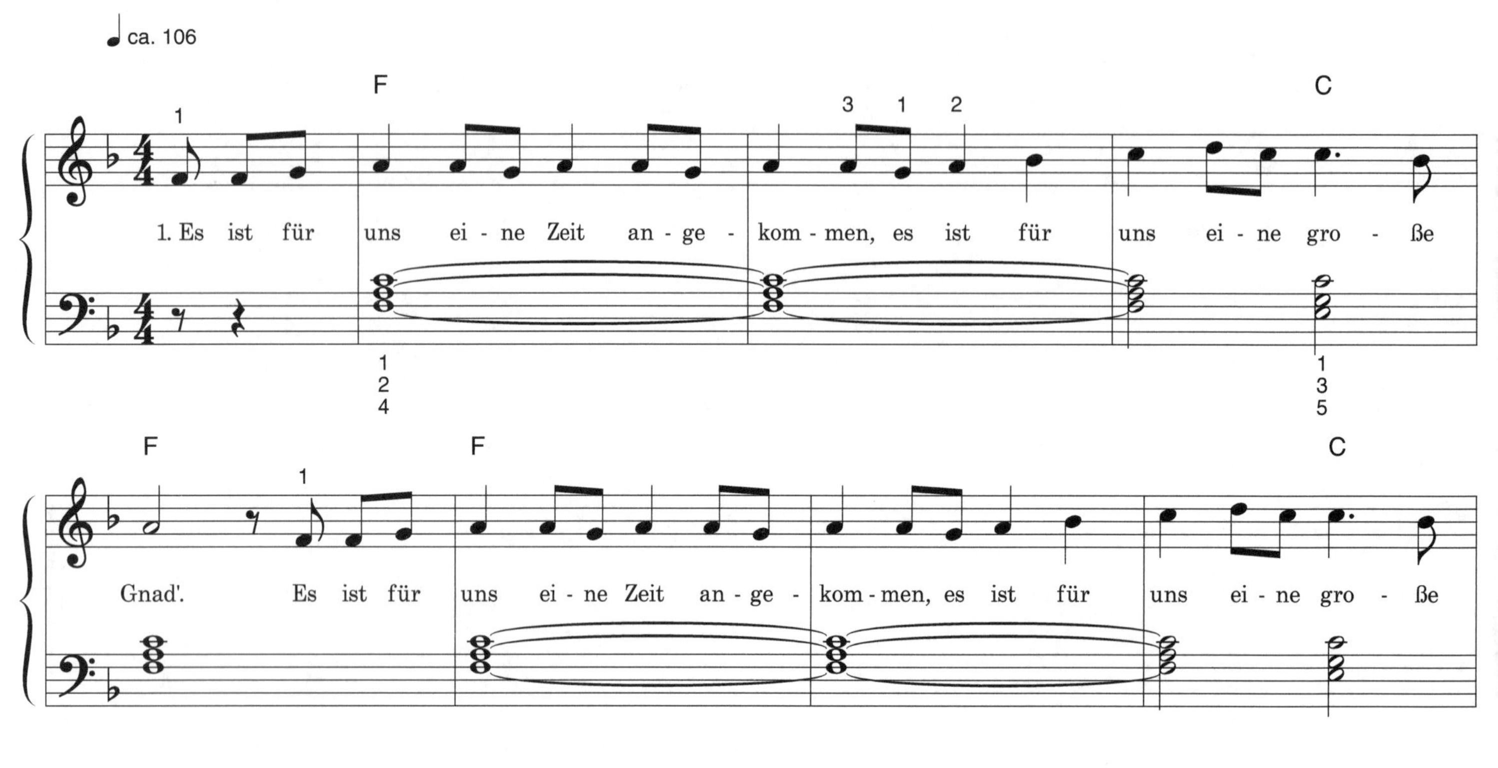

2. In der Krippe muss er liegen,
und wenn's der härteste Felsen wär'.
Zwischen Ochs und Eselein
liegest du, liegest du,
liegest du, armes Jesulein.

3. Drei König' kamen ihn zu suchen,
der Stern führt' sie nach Bethlehem.
Kron' und Zepter legten sie ab,
brachten ihm, brachten ihm,
brachten ihm ihre reiche Gab'.

MORGEN KOMMT DER WEIHNACHTSMANN

M: Traditional
T: A. H. Hoffmann v. Fallersleben
Arr.: Oliver Behls

Rhythm: 8-Beat, Pop

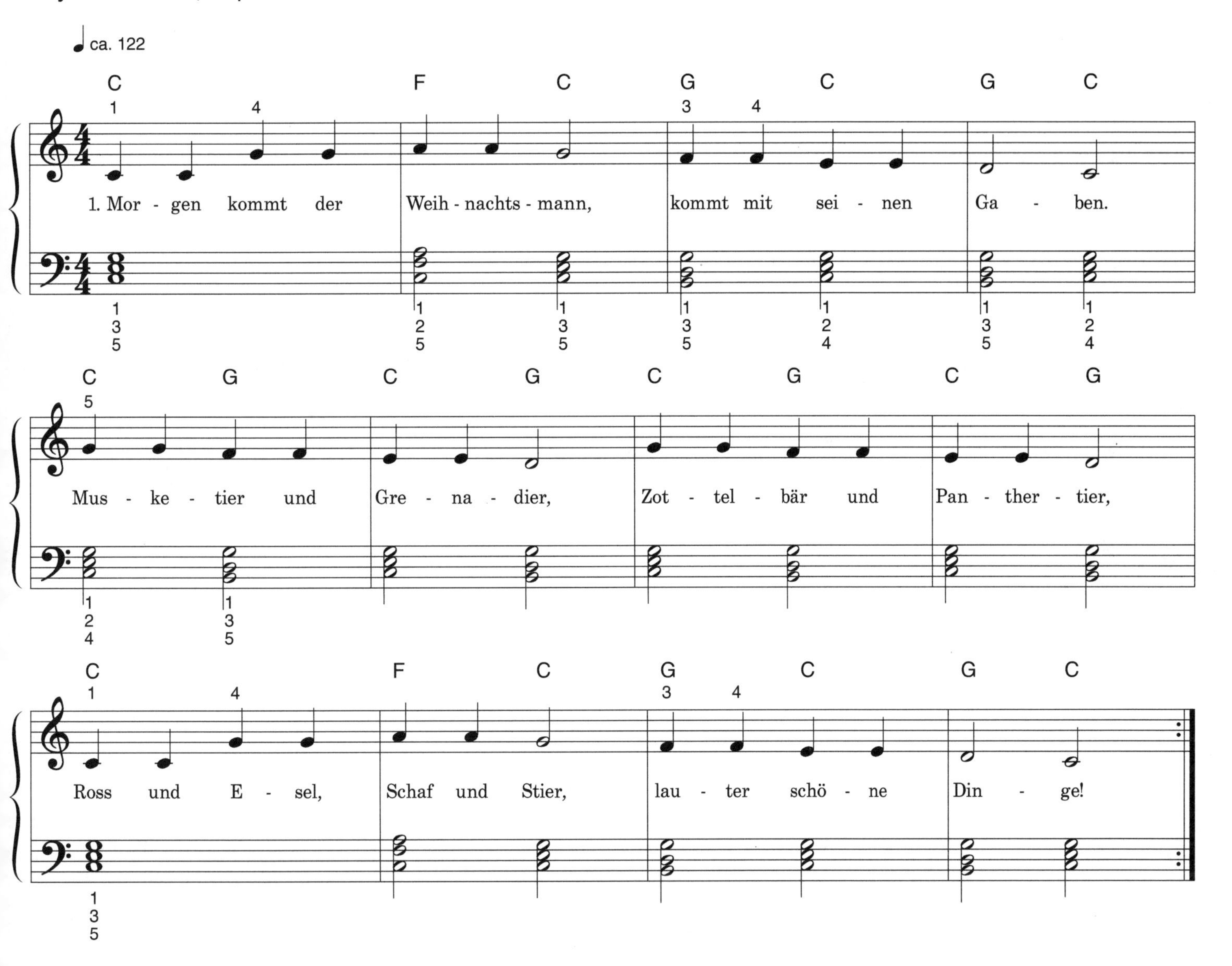

2. Doch du weißt ja unsern Wunsch,
kennst ja unsre Herzen.
Kinder, Vater und Mama,
und sogar der Großpapa,
alle, alle sind wir da,
warten dein mit Schmerzen.

MORGEN, KINDER, WIRD'S WAS GEBEN

M: Traditional
T: Philipp v. Bartsch
Arr.: Oliver Behls

Rhythm: Rock, 8-Beat

2. Wie wird dann die Stube glänzen
von der großen Lichterzahl!
Schöner als bei frohen Tänzen
ein geschmückter Kronensaal.
Wisst ihr noch, wie vor'ges Jahr
es am Heil'gen Abend war?

3. Welch ein schöner Tag ist morgen!
Viele Freuden hoffen wir,
unsre lieben Eltern sorgen
lange, lange schon dafür.
O gewiss, wer sie nicht ehrt,
ist der ganzen Lust nicht wert.

LEISE RIESELT DER SCHNEE

M: Traditional
T: Joseph Mohr
Arr.: Oliver Behls

Rhythm: Pop-Waltz

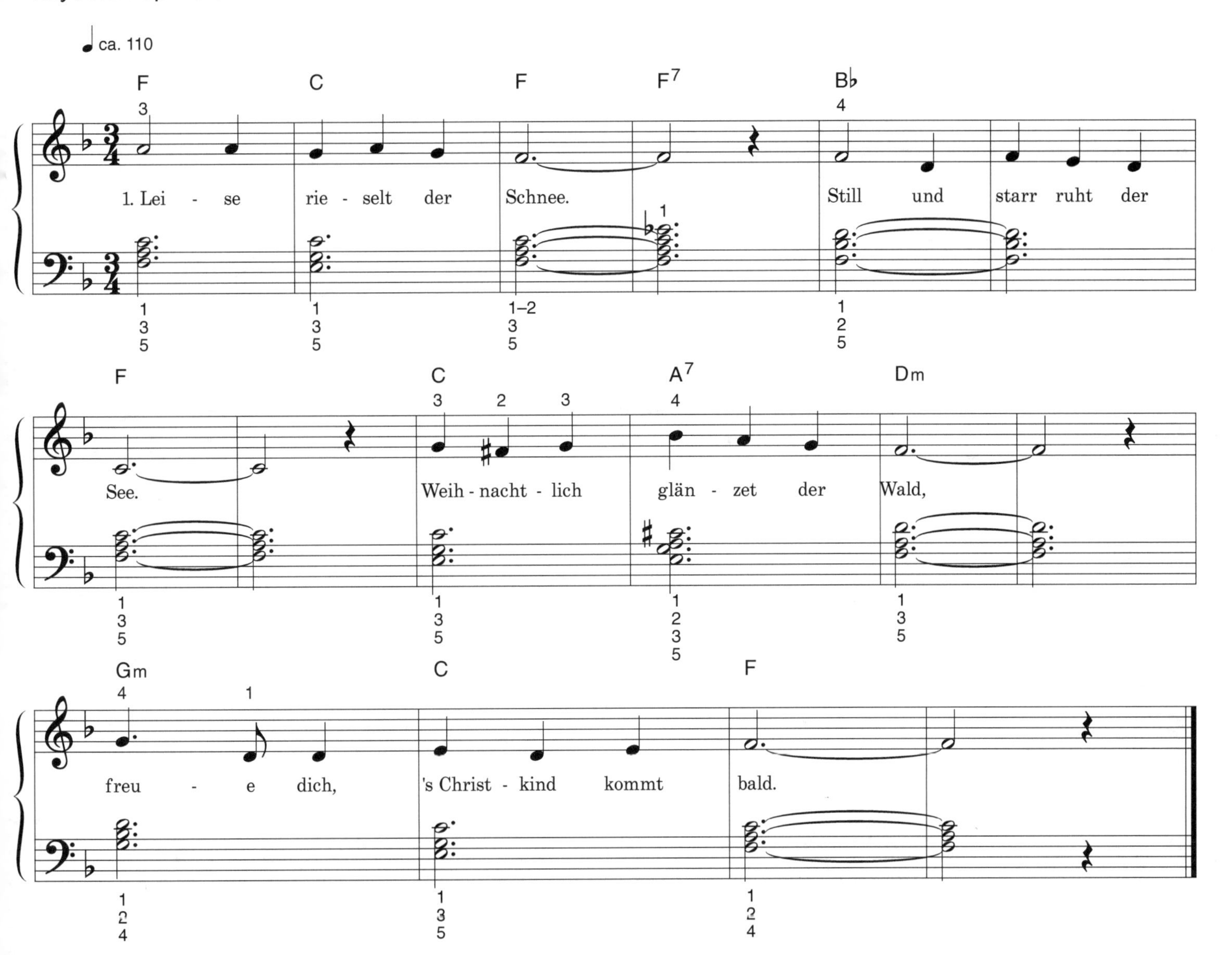

2. In den Herzen wird's warm.
Still schweigt Kummer und Harm.
Sorge des Lebens verhallt.
Freue dich, `s Christkind kommt bald!

3. Bald ist heilige Nacht!
Chor der Engel erwacht.
Hört nur, wie lieblich es schallt!
Freue dich, `s Christkind kommt bald!

LASST UNS FROH UND MUNTER SEIN

Traditional
Arr.: Oliver Behls

Rhythm: 8-Beat, Pop

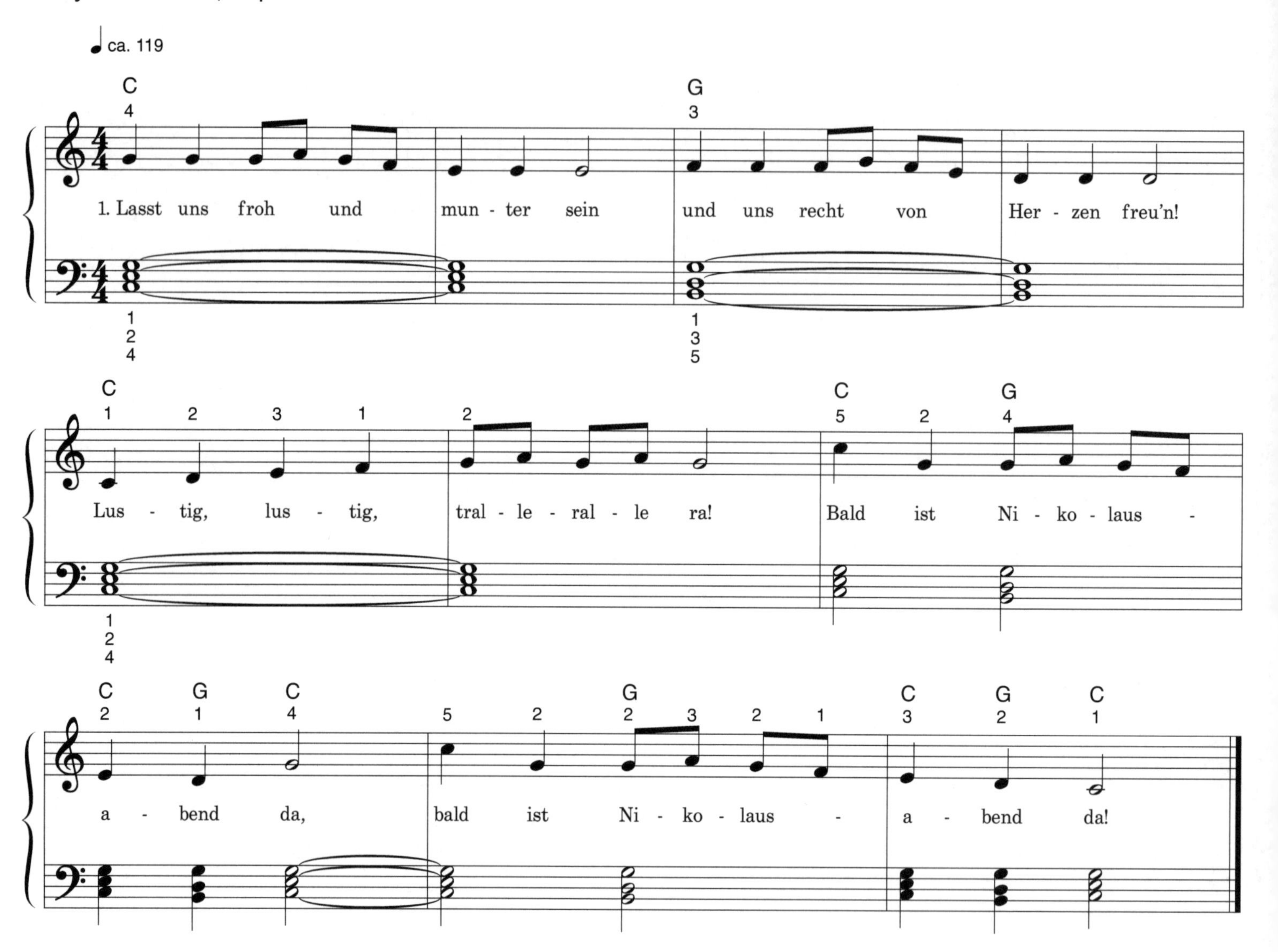

2. Bald ist unsre Schule aus,
   dann zieh'n wir vergnügt nach Haus.
   Lustig ...

3. Dann stell' ich den Teller auf,
   Nikolaus bringt gewiss was drauf.
   Lustig ...

4. Steht der Teller auf dem Tisch,
   sing' ich nochmals froh und frisch:
   Lustig ...

5. Wenn ich schlaf', dann träume ich:
   Jetzt bringt Nikolaus was für mich.
   Lustig ...

6. Wenn ich aufgestanden bin,
   lauf' ich schnell zum Teller hin.
   Lustig ...

7. Nikolaus ist ein braver Mann,
   den man nicht genug loben kann.
   Lustig ...

O TANNENBAUM

M: Traditional
T: Ernst Anschütz
Arr.: Oliver Behls

Rhythm: Waltz

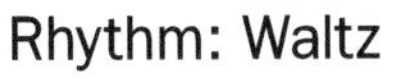

2. O Tannenbaum, o Tannenbaum,
du kannst mir sehr gefallen.
Wie oft hat schon zur Weihnachtszeit
ein Baum von dir mich hoch erfreut.
O Tannenbaum, o Tannenbaum,
du kannst mir sehr gefallen.

3. O Tannenbaum, o Tannenbaum,
dein Kleid kann mich was lehren:
Die Hoffnung und Beständigkeit
bringt Trost und Kraft zu jeder Zeit.
O Tannenbaum, o Tannenbaum,
dein Kleid kann mich was lehren.

FRÖHLICHE WEIHNACHT ÜBERALL

Traditional
Arr.: Oliver Behls

Rhythm: 8-Beat

D.C. al Fine

Refr.: Fröhliche Weihnacht! ...

2. Licht auf dunklem Wege,
   unser Licht bist du,
   denn du führst, die dir vertrau'n,
   ein zur sel'gen Ruh'.

Refr.: Fröhliche Weihnacht! ...

3. Was wir ander'n taten,
   sei getan für dich,
   dass bekennen jeder muss:
   Christkind kam für mich!

Refr.: Fröhliche Weihnacht! ...

FUM, FUM, FUM

Traditional

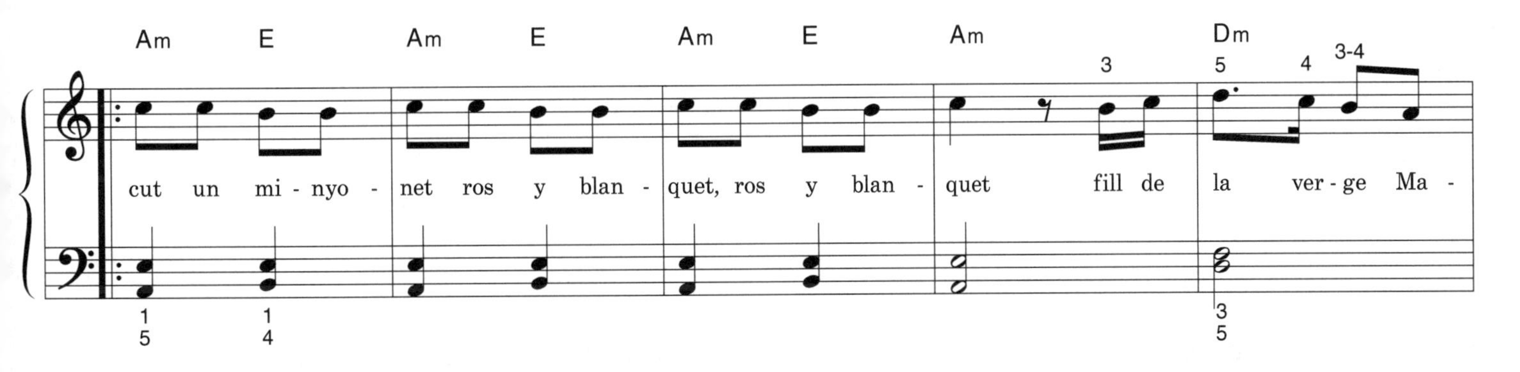

AM WEIHNACHTSBAUME

M: Traditional
T: Hermann Kletke

Rhythm: Waltz

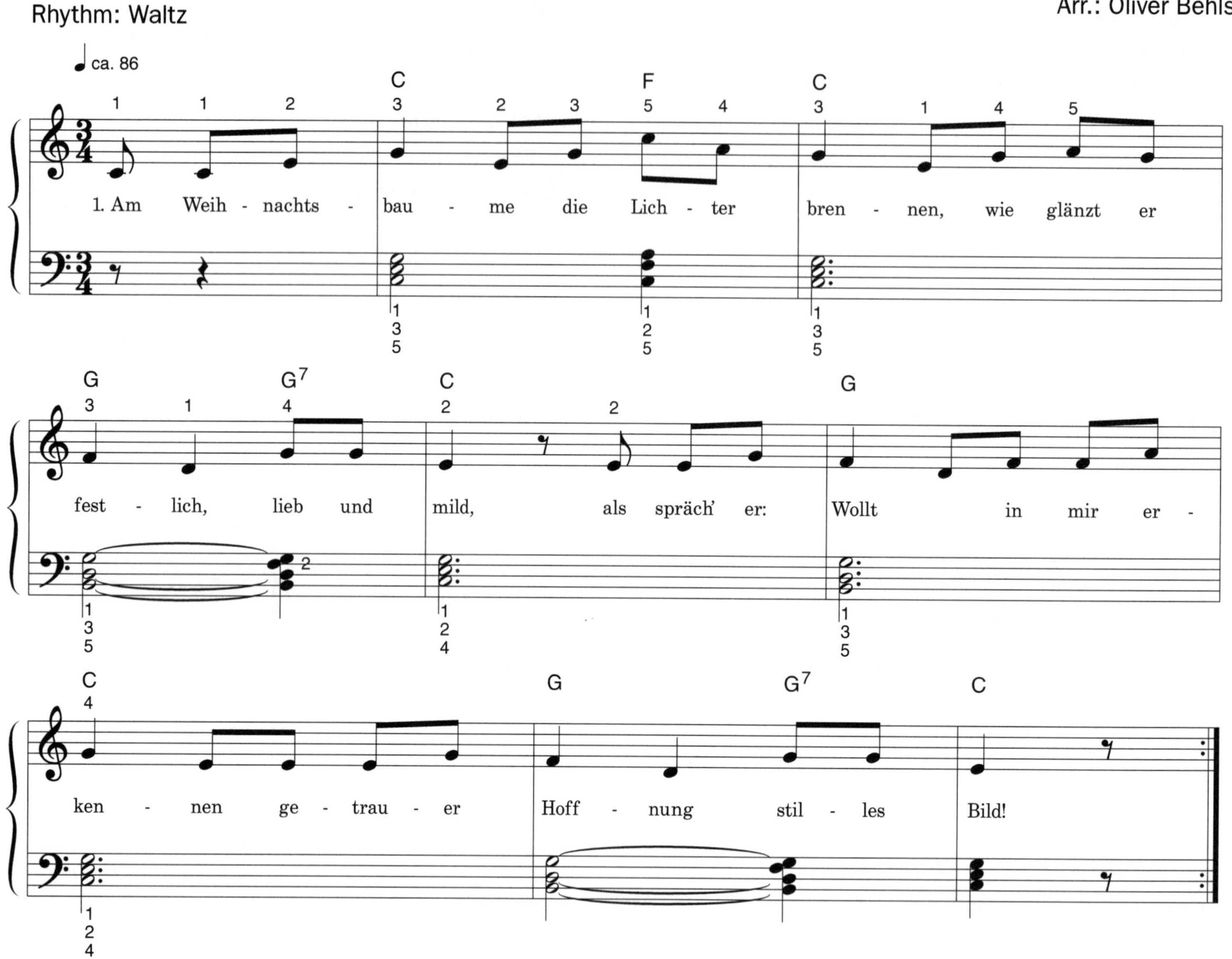

2. Zwei Engel sind hereingetreten,
   kein Auge hat sie kommen seh'n.
   Sie geh'n zum Weihnachtsbaum und beten
   und wenden wieder sich und geh'n.

3. „Gesegnet seid ihr alten Leute,
   gesegnet seist du kleine Schar.
   Wir bringen Gottes Segen heute,
   dem braunen wie dem weißen Haar.

4. Zu guten Menschen, die sich lieben,
   schickt uns der Herr als Boten aus.
   Und seid ihr treu und fromm geblieben,
   wir treten wieder in dies Haus."

5. Kein Ohr hat ihren Spruch vernommen,
   unsichtbar jedes Menschen Blick
   sind sie gegangen wie gekommen,
   doch Gottes Segen blieb zurück.

WE WISH YOU A MERRY CHRISTMAS

Traditional
Arr.: Oliver Behls

Rhythm: Waltz

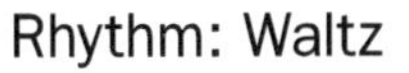

2. Now bring us some figgy pudding,
now bring us some figgy pudding,
now bring us some figgy pudding
and bring some out here!

Refrain: Good tidings ...

3. For we all like figgy pudding,
we all like figgy pudding,
we all like figgy pudding,
so bring some out there!

Refrain: Good tidings ...

4. And we won't go till we got some,
we won't go till we got some,
we won't go till we got some,
so bring out some here!

Refrain: Good tidings ...

JINGLE BELLS

Traditional
Arr.: Oliver Behls

Rhythm: Country, March

2. Day or two ago
I thought I'd take a ride
soon Miss Fanny Bright
was seated at my side.
The horse was lean and lank,
misfortune seem'd his lot,
he got into drifted bank,
and we, we got upsot!

Jingle bells ...

3. Now the ground is white
Go it while you're young!
Take the girls tonight,
and sing this sleighing song.
Just get a bobtail'bay,
twoforty for his speed,
then hitch him to an open sleigh
and crack! You'll take the lead.

Jingle bells ...

STILLE NACHT

M: Franz Gruber
T: Joseph Mohr
Arr.: Oliver Behls

2. Stillle Nacht, heilige Nacht!
Hirten erst kundgemacht.
Durch der Engel Hallelujah
tönt es laut von fern und nah:
Christ, der Retter ist da!

3. Stille Nacht, heilige Nacht!
Gottes Sohn, o wie lacht
Lieb' aus deinem göttlichen Mund,
da uns schlägt die rettende Stund,
Christ, in deiner Geburt.

ES IST EIN ROS' ENTSPRUNGEN

Traditional
Arr.: Karsten Sahling

2. Das Blümlein, das ich meine,
davon Jesaja sagt,
hat uns gebracht alleine
Marie, die reine Magd.
Aus Gottes ew'gem Rat
hat sie ein Kind geboren
wohl zu der halben Nacht.

3. Das Blümelein so kleine,
das duftet uns so süß.
Mit seinem hellen Scheine
vertreibt's die Finsternis.
Wahr' Mensch und wahrer Gott
hilft uns aus allem Leide,
rettet von Sünd' und Tod.

VOM HIMMEL HOCH, DA KOMM' ICH HER

M+T: Martin Lutther
Arr.: Oliver Behls

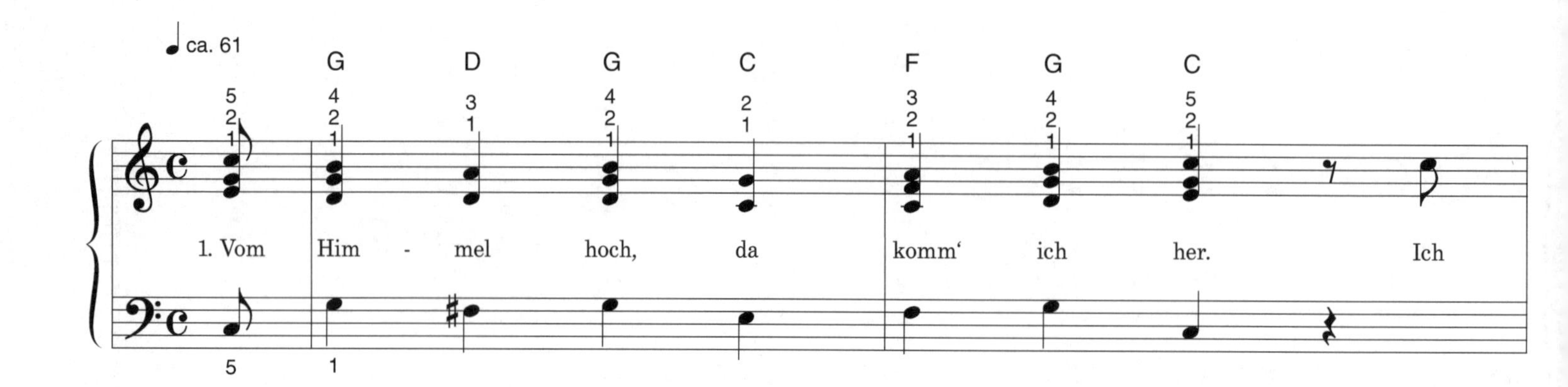

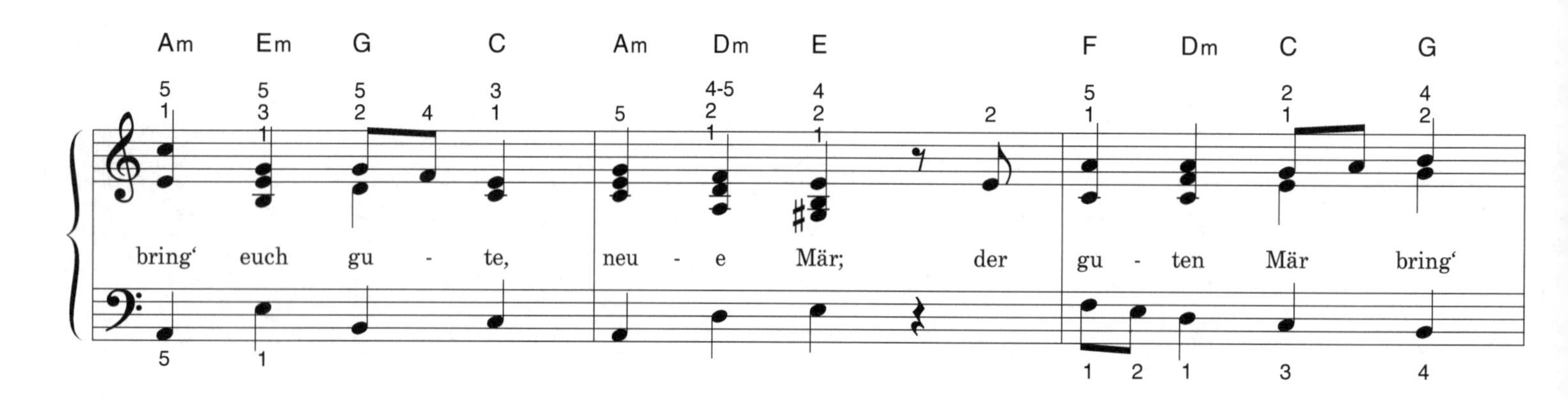

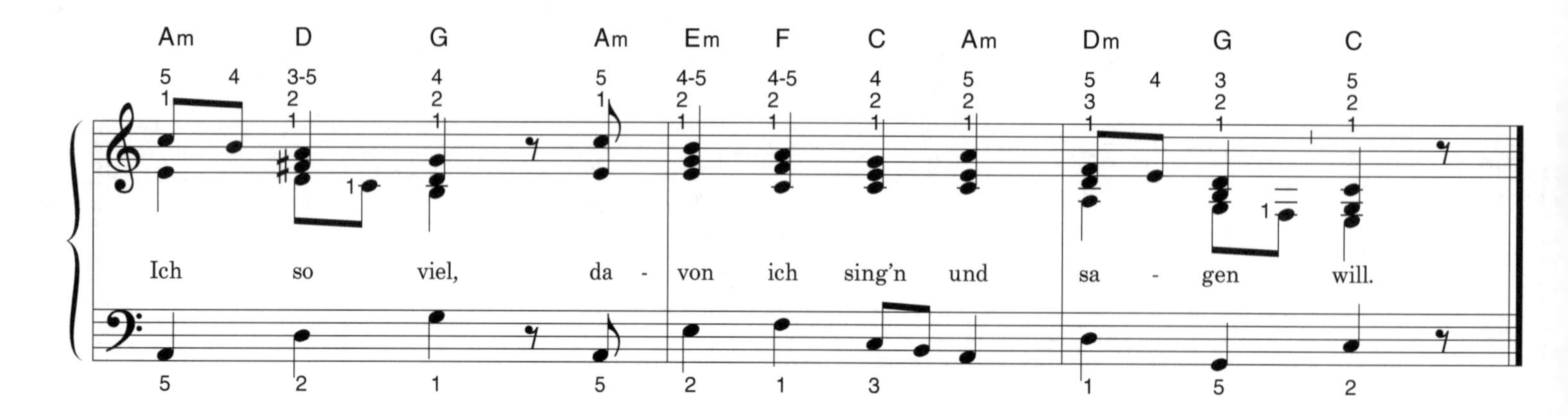

2. Euch ist ein Kindlein heut' gebor'n,
von einer Jungfrau auserkor'n,
ein Kindelein, so zart und fein.
Das soll euer Freud' und Wonne sein.

3. Es ist der Herr Christ, unser Gott,
der will euch führ'n aus aller Not.
Er will euer Heiland selber sein,
von allen Sünden machen rein.

4. Des lasst uns alle fröhlich sein
und mit den Hirten geh'n hinein,
zu seh'n, was Gott uns hat beschert
mit seinem lieben Sohn verehrt.

5. Lob, Ehr sei Gott im höchsten Thron,
der uns schenkt seinen eig'nen Sohn.
Des freuet sich der Engel Schar
Und singet uns solch neues Jahr.

O DU FRÖHLICHE

M: Traditional
T: Joh. Daniel Falk, Heinr. Holzschuher
Arr.: Oliver Behls

2. O du fröhliche,
o du selige,
gnadenbringende Weihnachstzeit.
Christ ist erschienen,
uns zu versühnen.
Freue dich ...

3. O du fröhliche,
o du selige,
gnadenbringende Weihnachstzeit.
Himmlische Heere
jauchzen dir Ehre.
Freue dich ...

DORMI, DORMI, BEL BAMBIN

Traditional

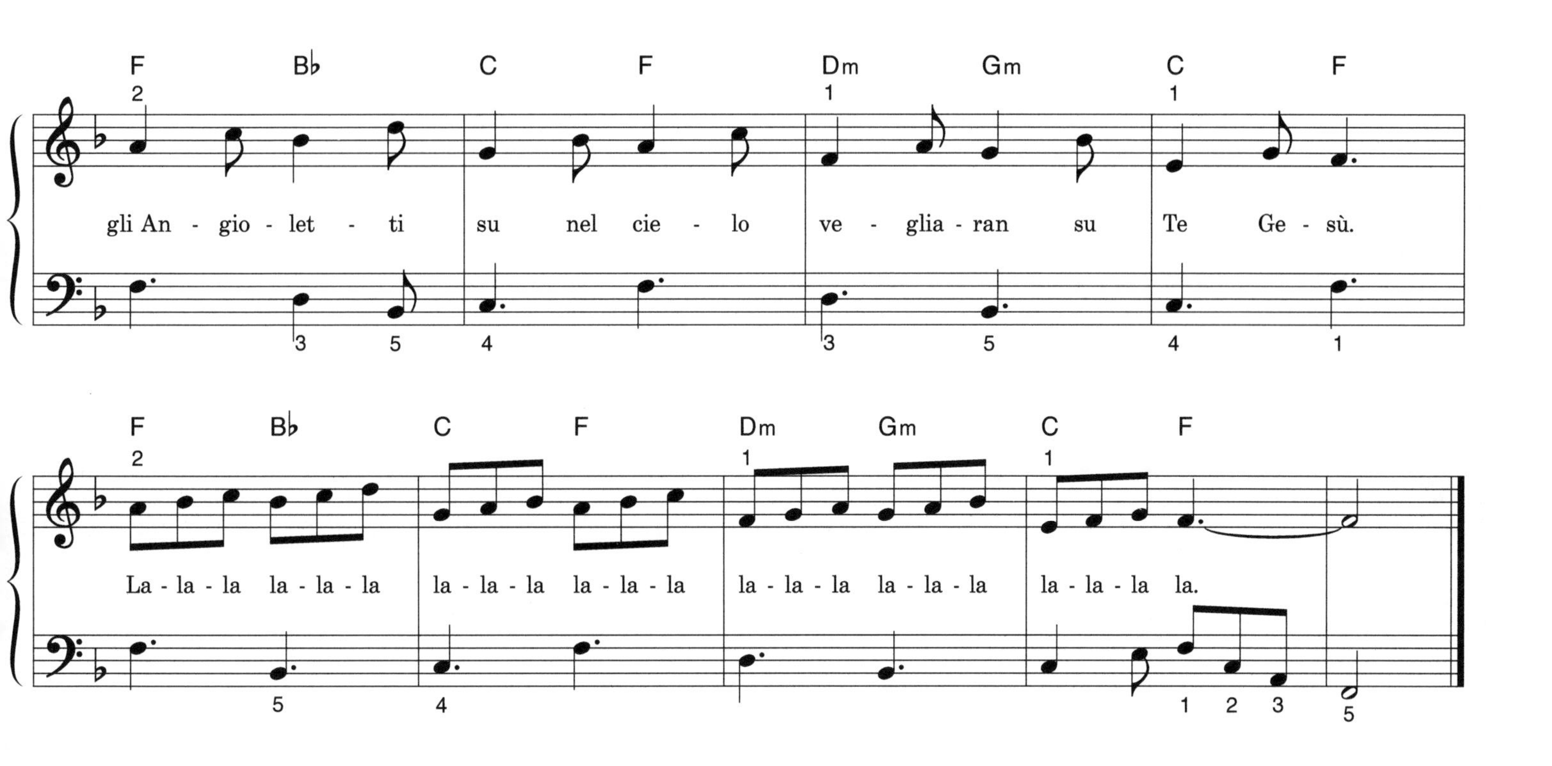

2. Chiudi gli occhi, mio tesor, dolce amor, dolce amor,
fa la nanna sul mio cuore, dolce amor, dolce amor,
fa la nanna sul mio cuore.
Fa la ninna, fa la nanna ...

ECCO NATALE

Traditional

AWAY IN A MANGER

Traditional

2. The cattles are lowing, the baby awakes,
the little Lord Jesus no crying he makes.
I love thee, Lord Jesus, look down from the sky
and stay by my side until morning is nigh.

IL EST NÉ, LE DIVIN ENFANT

Traditional

Refr.: Il est né ...

2. Ah! Qu'il est beau! Qu'il est charmant!
Ah! Que ses grâces sont parfaites!
Ah! Qu'il est beau! Qu'il est charmant!
Qu'il est doux, ce divin enfant!

Refr.: Il est né ...

3. O Jésus! O roi tout puissant!
Tout petit enfant que vous êtes!
O Jésus! O roi tout puissant!
Régnez sur nous entièrement.

Refr.: Il est né ...

PANXOLINA DE NADAL

Traditional

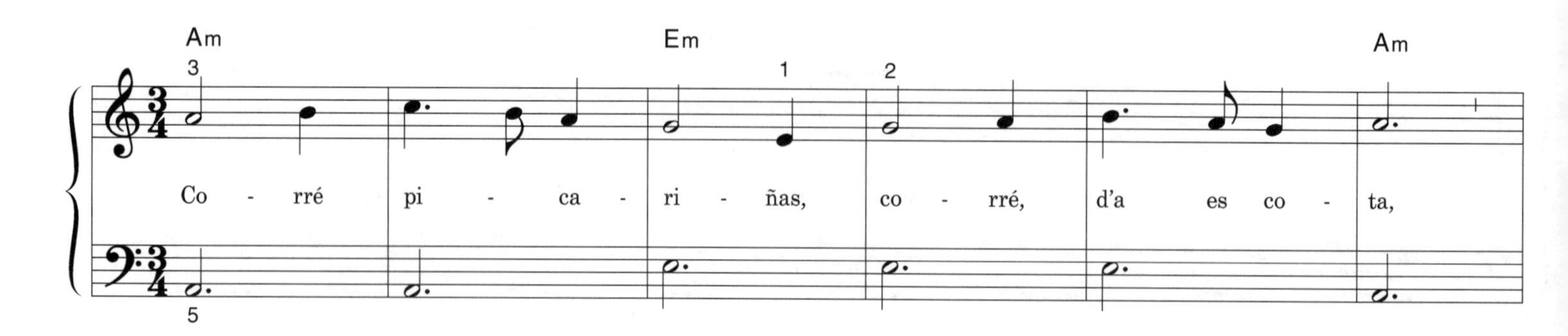

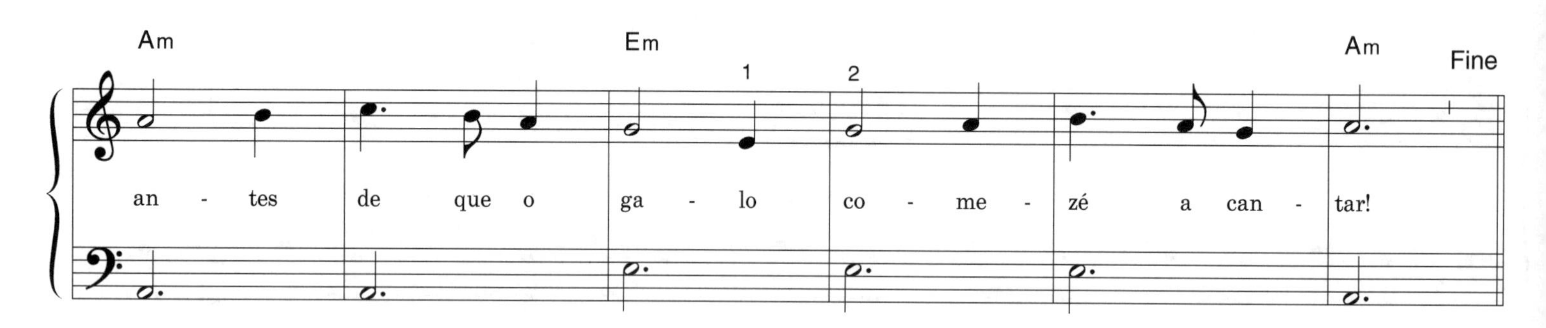

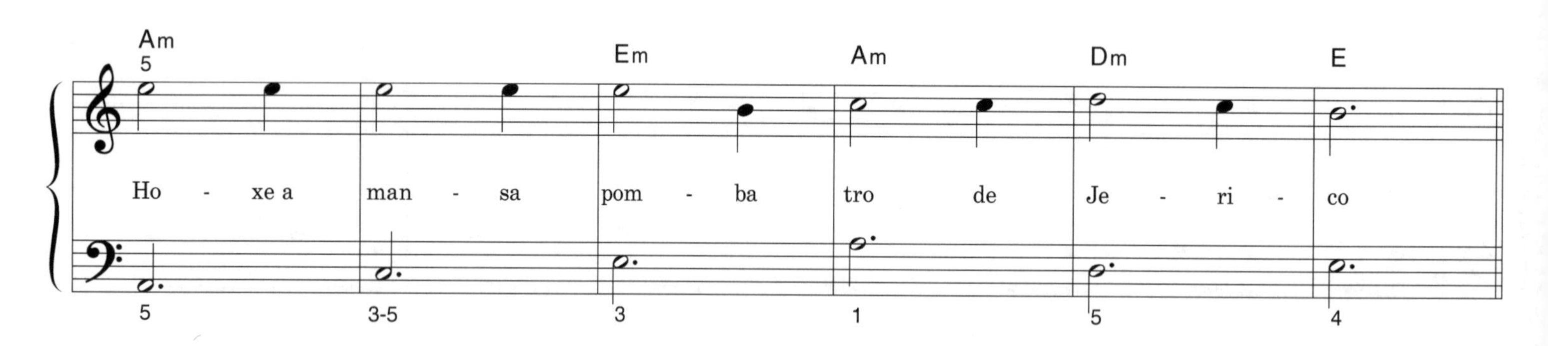

Übersicht der Dur- und Molltonleitern
Overview of the Major and Minor Scales

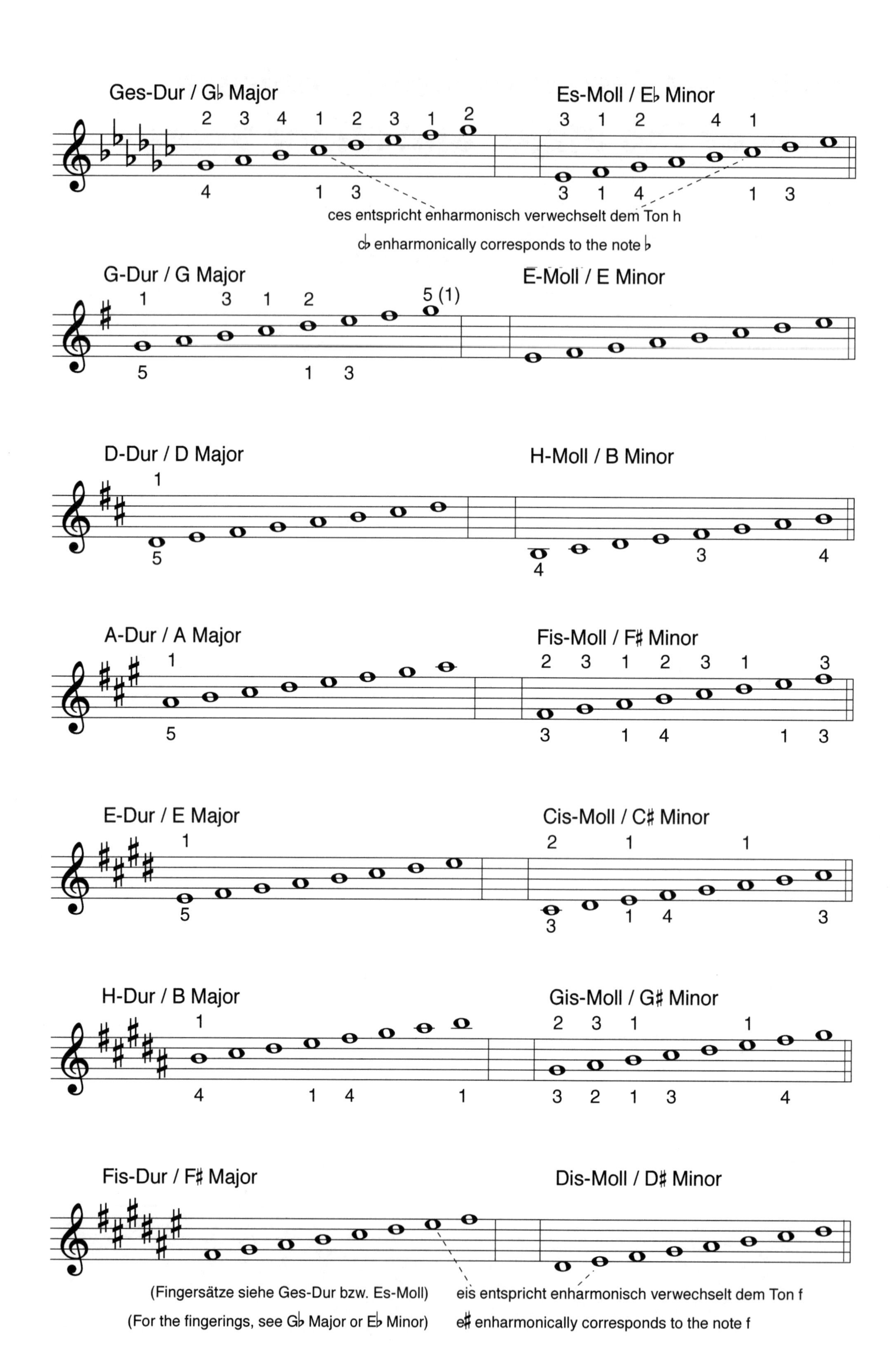
Ges-Dur / G♭ Major
Es-Moll / E♭ Minor
ces entspricht enharmonisch verwechselt dem Ton h
c♭ enharmonically corresponds to the note ♭
G-Dur / G Major
E-Moll / E Minor
D-Dur / D Major
H-Moll / B Minor
A-Dur / A Major
Fis-Moll / F♯ Minor
E-Dur / E Major
Cis-Moll / C♯ Minor
H-Dur / B Major
Gis-Moll / G♯ Minor
Fis-Dur / F♯ Major
Dis-Moll / D♯ Minor
(Fingersätze siehe Ges-Dur bzw. Es-Moll)
(For the fingerings, see G♭ Major or E♭ Minor)
eis entspricht enharmonisch verwechselt dem Ton f
e♯ enharmonically corresponds to the note f

Akkord-Grifftabelle / Chord Fingering Table

Diese Übersicht enthält die Griffbilder für alle ***Dur-***, ***Dur^{7}-***, ***Dur^{maj7}-***, ***Moll-***, ***Moll^{7}-*** und ***sus4-Akkorde.*** Alle Akkordgriffe sind in der Grundstellung abgebildet – die Umkehrungen erhältst du, indem du die Reihenfolge der einzelnen Akkordtöne veränderst.

This overview contains the fingering diagrams for all ***Major***, ***Dominant 7th***, ***Major 7th***, ***Minor***, ***Minor 7th*** and ***sus4 chords***. All fingerings are given in root position – you can derive the inversions by changing the order of the individual chord tones.

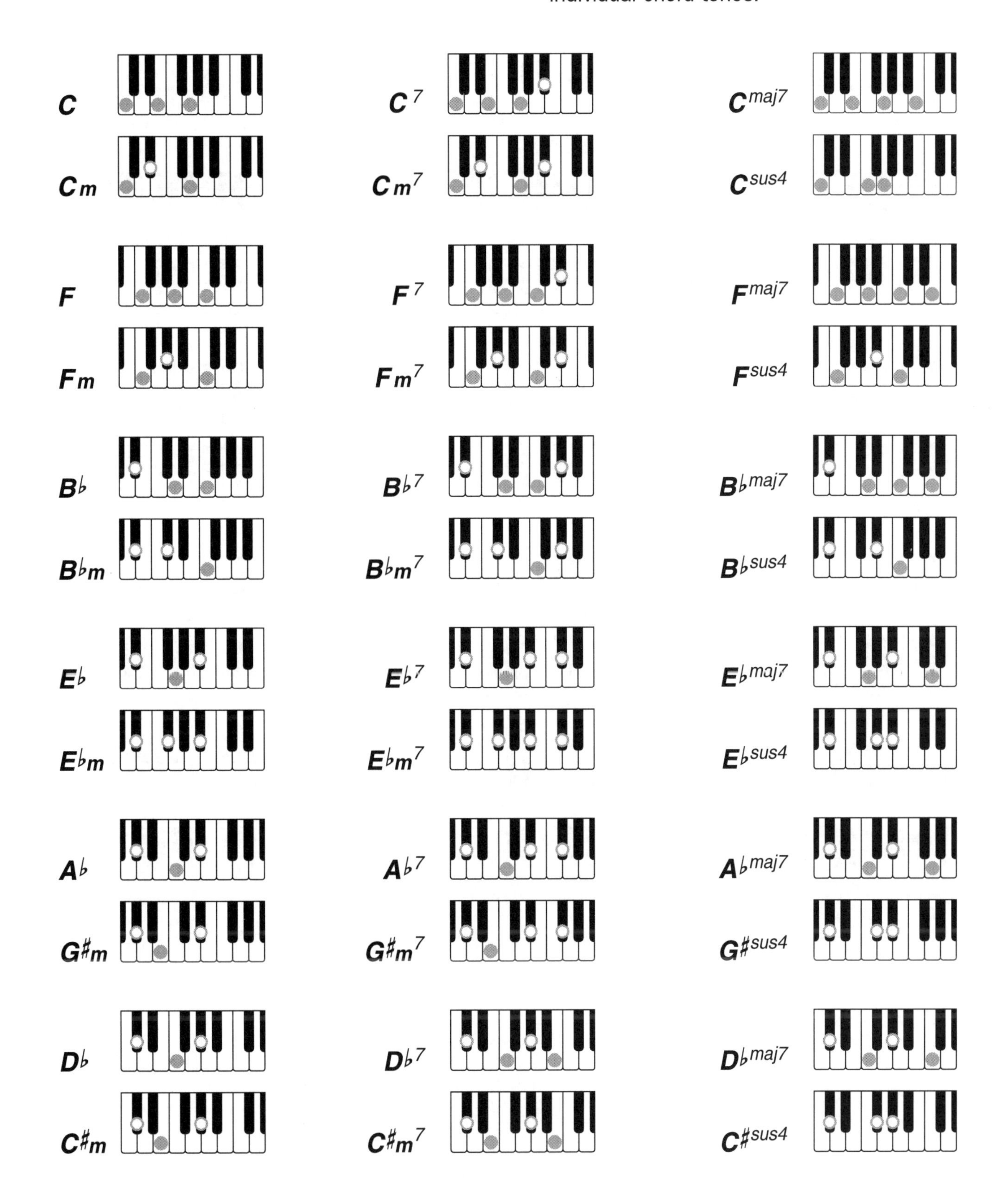

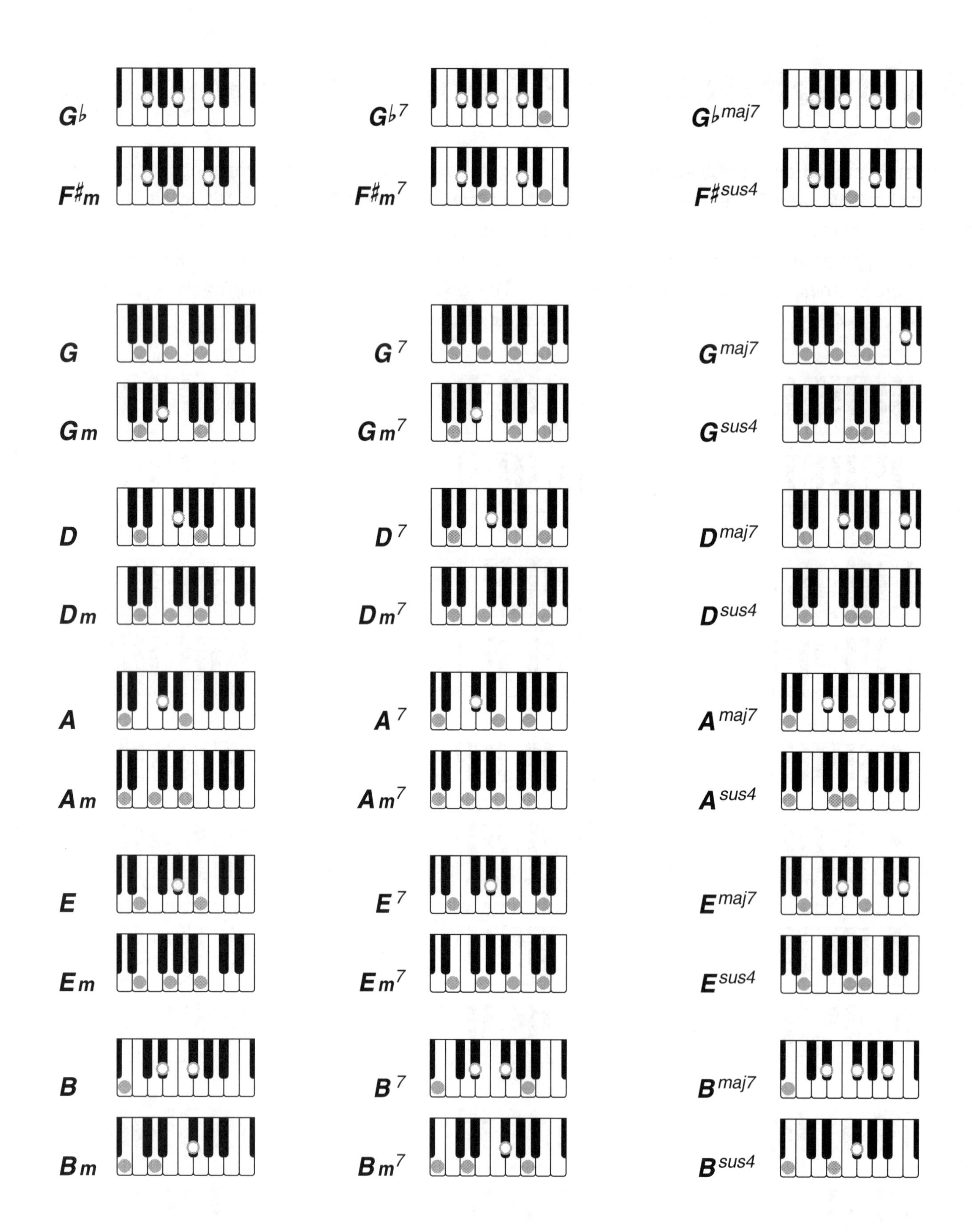

F♯ siehe unter ***G♭***
for ***F♯*** please see ***G♭***

Die Single Finger-Grifftabelle 1
Single Finger Auto Accompaniment – Fingering Chart 1

z. B. Yamaha, Technics / for example Yamaha, Technics

C C7 Cm

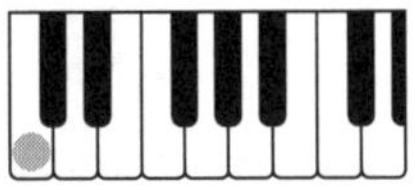

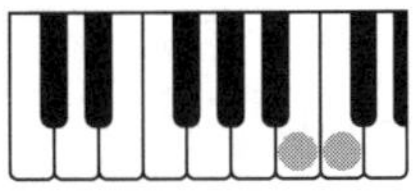

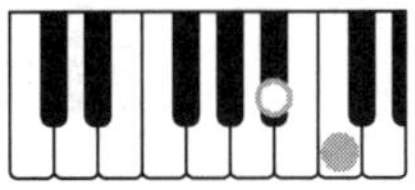

D D7 Dm

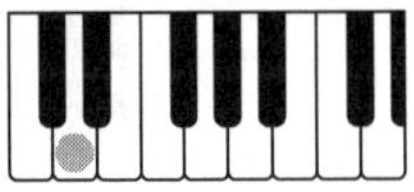

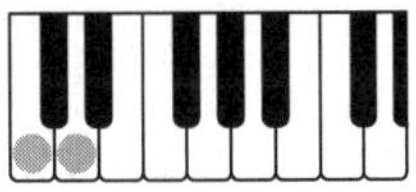

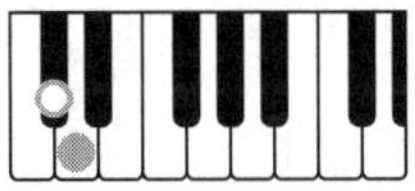

E E7 Em

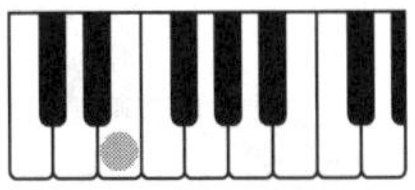

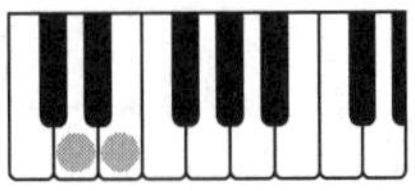

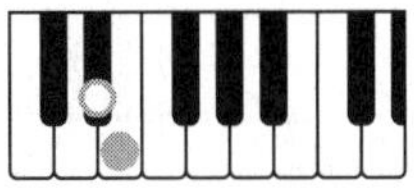

F F7 Fm

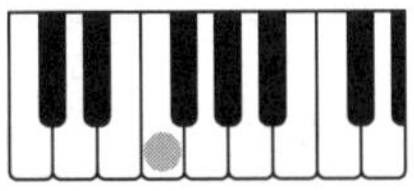

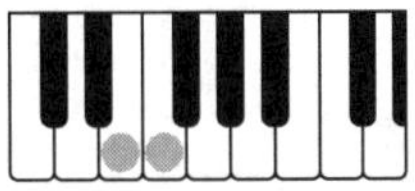

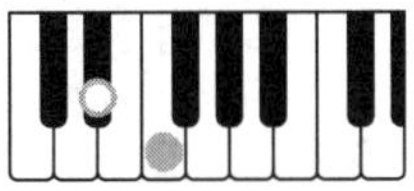

G G7 Gm

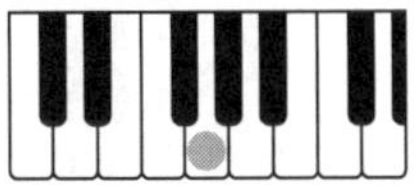

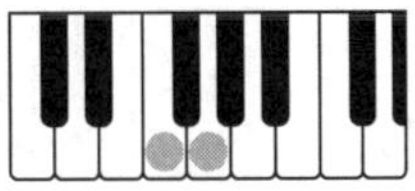

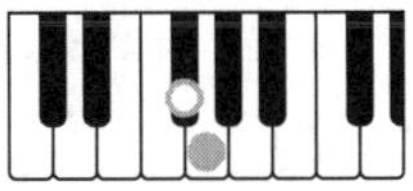

A A7 Am

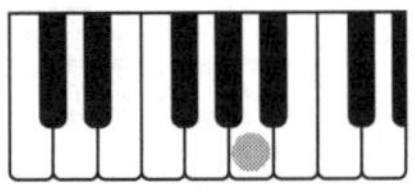

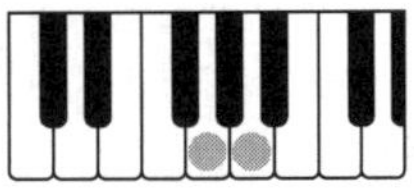

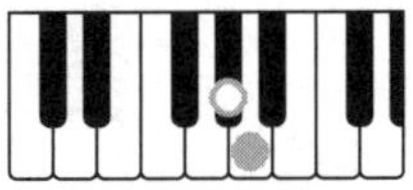

B B7 Bm

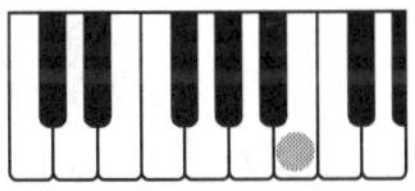

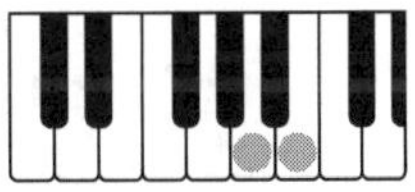

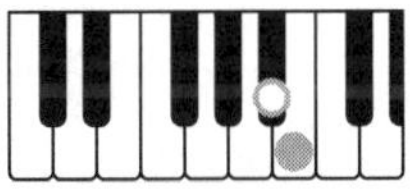

B♭ 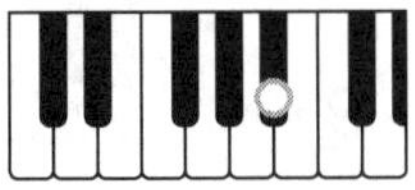 B♭7 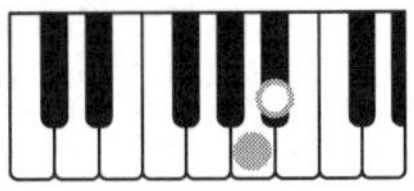 B♭m

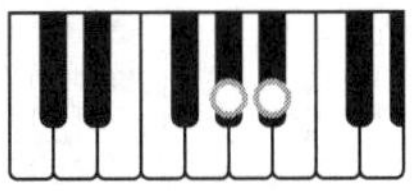

Die Single Finger-Grifftabelle 2
Single Finger Auto Accompaniment – Fingering Chart 2

z. B. Casio, Hohner / for example Casio, Hohner

C 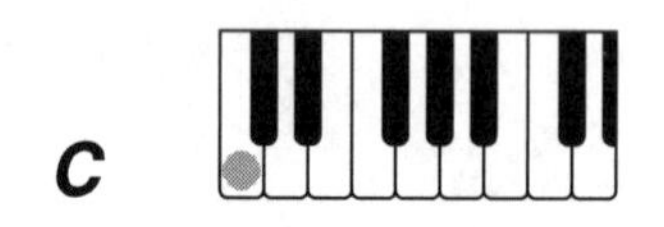

C^7

Cm

D

D^7

Dm

E

E^7

Em

F

F^7

Fm

G

G^7

Gm

A

A^7

Am

B

B^7

Bm

B♭

$B♭^7$

B♭m

Titelregister / Index of Titles